KB148748

미디어의 미디어 9

미디어의 미디어 9

발행일 ; 제1판 제1쇄 2018년 9월 17일 제1판 제3쇄 2020년 11월 18일
지은이 ; 신성헌 발행인·편집인 ; 이연대
주간 ; 김하나 편집 ; 김하나 이연대
제작 ; 허설 지원 ; 유지혜 고문 ; 손현우
펴낸곳 ; ㈜스리체어스_서울특별시 중구 삼일대로 343 위워크 9층
전화 ; 02 396 6266 팩스 ; 070 8627 6266
이메일 ; hello@bookjournalism.com
홈페이지 ; www.bookjournalism.com
출판등록 ; 2014년 6월 25일 제300 2014 81호
ISBN ; 979 11 86984 76 5 03300

이 책 내용의 전부 또는 일부를 재사용하려면
반드시 저작권자와 스리체어스 양측의 동의를 받아야 합니다.
책값은 뒤표지에 표시되어 있습니다.

BOOK
JOURNALISM

미디어의 미디어 9

신성헌

; 조선비즈에서 국내외 저널리즘 트렌드를 수년 간 취재해 온 저자가 텍스트 기반 미디어 9곳의 리더들을 인터뷰했다. 저자는 급변하는 미디어 생태계의 미래를 섣불리 전망하지 않는다. 다만 새로운 시도에 나선 이들의 문제의식과 해법을 통해 미래의 실마리를 제공한다. 미디어가 넘쳐 나는 시대, 미디어의 오늘을 통해 변화하는 삶의 양식과 트렌드를 읽는다.

차례

프롤로그　　　　　　　모두 스타트업이 되어라

핀란드 헬싱키의 명소 칼리오 교회 앞에는 굿 라이프 커피Good Life Coffee라는 카페가 있다. 그곳에 갔을 때의 일이다. 한 20대 청년이 노키아 2G폰을 쓰고 있었다. 족히 20년은 되어 보이는 구형 모델이었다. 다른 손에는 핀란드 신문이 들려 있었고, 옆 테이블에는 맥북이, 선반에는 카페의 모토 'Avoid Bad Life'가 적힌 에코백과 티셔츠가 놓여 있었다. 오후 늦은 시간, 종이와 모바일, 모니터라는 차이만 있을 뿐, 현지인 서너 명은 다들 읽기에 빠져 있었다. 나는 서울에서 7000킬로미터 떨어진 곳에 있었지만, 평소처럼 페이스북 메신저로 대화를 주고받았고 한국 매체의 속보를 아이폰으로 실시간 확인했다. 그날 내가 열 평 남짓한 공간에서 목격한 모든 것이 미디어의 현재이자 과거였다.

헬싱키에는 디자인과 스타트업 육성, 미디어랩으로 유명한 알토대학교가 있다. 정부 주도하에 헬싱키공과대, 헬싱키경제대, 헬싱키예술디자인대가 통합되어 설립된 학교다. 내가 방문한 알토대학교 미디어랩은 세운상가의 3D 프린터 공방을 연상시키는 공간이었다. 눈을 돌리는 곳마다 VR 기기, 로봇, 인터랙티브 영상이 있었다. 이곳에서 미디어는 단순히 신문과 방송, 뉴미디어를 뜻하지 않는다. 공학과 예술, 비즈니스 분야의 총체로 여겨진다. 실제로 알토대학교는 노키아와 산학 협력 관계를 맺고, 학부생들이 AR 앱과 모바일 게임을 만들어 내고 있다.

하버드대학교 저널리즘연구소 니먼랩은 매년 미디어 혁신에 대한 업계 종사자의 의견을 취합해 발표한다. 2018년 에는 176명의 의견을 담았다. '올해는 워싱턴포스트의 해가 될 것', '소셜 미디어는 종말을 고할 것', '언론사 스스로 취약 점을 드러내라', '스포티파이를 주의 깊게 보라', 'TV는 디지 털로, 디지털은 TV로', 'M2M(machine to machine, 사물 통신) 저널리즘의 해', '지역 언론의 (폭스뉴스와 같은) 보수화', '투 표자의 해'라는 전망이 나왔고, 인공지능, 블록체인, 로컬, 팟 캐스트 같은 단어도 수차례 등장했다. 따지고 보면 전망이라 기보다 거의 모든 경우의 수를 논하고 있다. 그도 그럴 것이 미디어 산업은 전망이라는 용어가 무색할 정도로 한 치 앞을 내다보기 어렵다.

이런 상황에서 모두가 혁신을 외친다. 혁신과 모방. 지 난 수십 년간 반복해 온 사이클이다. 많은 매체가 서로를 베 낀다. 컬래버레이션은 업계를 뛰어넘는다. 폴리티코가 사우 스차이나모닝포스트와, 악셀슈프링어가 포르쉐와, 오바마 부 부가 넷플릭스와 손을 잡았다. 오바마 전 대통령 부부는 콘텐 츠 제작사를 설립해 영화와 다큐멘터리, 쇼 프로그램을 넷플 릭스에 공급할 예정이다.

미국의 SF 작가 윌리엄 깁슨William Gibson은 이렇게 말했다. "미래는 이미 여기 와 있다. 다만 고르게 분포되어 있지 않을 뿐이다." 이 말은 미디어 업계에도 그대로 적용된다. 혁신 또는 미래는 뉴욕타임스, 버즈피드, 월스트리트저널, 쿼츠의 본사가 포진해 있는, 미디어 산업의 심장부 뉴욕 맨해튼의 몇 블록 안에 집중되어 있다. 디지털 저널리즘 연구의 산실인 토우 센터Tow Center와 퓰리처상 수상작을 발표하는 컬럼비아대학교 언론대학원도 지척에 있다. 뉴욕이 미디어를 선도하고 세계는 뒤쫓는다. 미디어가 미디어에 관심을 두는 이유는 깁슨의 말처럼 고르게 분포해 있지 않은 미래 기술을 서둘러 베끼기 위함이다. 패스트 팔로워fast follower가 퍼스트 무버first mover로 도약한 사례도 있지 않은가.

이 책은 미디어 업계에서 혁신을 시도하고 있는 매체의 임직원을 인터뷰한 조선비즈의 인터뷰 시리즈 〈미디어 혁신가〉를 바탕으로 하고 있다. 본문의 절반은 기존 기사에 새 내용을 추가했고, 나머지 절반은 이번에 처음 공개하는 인터뷰다. 금세 바뀌는 업계 특성을 감안해 꼭지 대부분을 새로 썼다.

취재와 집필 과정에서 혁신 미디어의 몇 가지 공통점을 발견할 수 있었다. 첫째, 애자일(agile, 민첩한) 전략을 지킨다. 애자일은 소프트웨어 개발에 통용되는 개념으로, 일정한 주기를 가지고 끊임없이 프로토타입(prototype, 개발 버전)을 만들어 내고, 테스트와 개선을 병행하는 전략이다. 미디어 분야의 혁신 기업들은 실패를 두려워하기보다 실행하고do, 빨리 실패하고fast fail, 무엇을 개선할지 배우고learn, 다시 시도하는 redo 사이클을 반복하고 있었다.

둘째, 환원적으로 사고하고 문제를 재정의한다. 이제는 상식이 된 개념이나 시장, 이용자, 무엇이든 근원부터 파고들어 문제를 찾고 해법을 제시한다. 업계를 뒤흔드는 새로운 시도는 기성 미디어와는 다른 문제 정의에서부터 시작된다. 스팀잇의 창업자 겸 CEO 네드 스콧은 소셜 미디어에 남기는 글의 경제적 가치를 새롭게 정의했다. 페이스북은 팔로워가 10명이든 10만 명이든 창작자에게 대가를 지급하지 않지만, 스팀잇은 보상을 제공한다.

셋째, 장점을 극대화한다. 이것저것 손대지 않고 잘하는 일에 자원을 집중한다. 단점을 보완하기보다 장점을 더 뾰족하게 만든다. 인력과 자원이 부족한 스타트업의 특성상 지극히 당연한 일이라 여길지 모르지만, 웬만큼 규모를 갖춘 곳에서도 이런 선택과 집중이 발견된다. 모노클은 사양 산업이라 불리는 종이 잡지를 통해 빠르게 성장해 왔다. 탄탄한 브랜드를 구축했다면 다른 채널로 눈을 돌릴 법도 한데, 여전히 종이를 고집한다. 페이스북이나 인스타그램 계정조차 없다.

내가 만나고 취재한 미디어들은 모두 스타트업을 지향하고 있었다. 161년 전통의 애틀랜틱미디어컴퍼니가 2012년에 설립한 퀴츠는 현재 직원 수가 200명이 넘지만 아직도 스타트업임을 강조한다. 케빈 딜레이니 편집장의 말은 참고할 만하다. "우리는 무엇이든 할 수 있다. 스타트업인 퀴츠는 할 수 있는 것과 해야 하는 것을 파악하고, 해야 하는 것에 집중하는 일이 굉장히 중요하다고 생각한다."

원고를 집필한 5개월 동안 많은 매체가 고점과 저점을 찍었다. 2018년 6월, 137년 전통의 LA타임스가 외과 의사 출신 생명 공학 사업가인 패트릭 순 시옹Patrick Soon-Shiong에게 5억 달러(한화 약 5600억 원)에 매각됐다. 2000년대 초, 한때 뉴욕타임스보다 발행 부수가 많았던 이 매체는 억만장자의 전폭적인 지원으로 재도약을 준비하고 있다. 2018년 4월, 페이스북은 이용자 8700만 명의 개인 정보가 유출된 사실이 알려지면서 대규모 회원 탈퇴와 주가 급락으로 홍역을 치렀다. 지금 이 순간에도 수많은 미디어들이 명멸하고 있다. 따라서 이 책은 미디어 업계에 대한 전망이라기보다 혁신을 외치는 이들의 고유한 문제 정의와 해법 소개에 가깝다.

인터뷰 외에 매체의 성격을 요약한 코너를 추가해 독자의 이해를 도왔다. 매체 분석은 필자의 지극히 주관적인 견해다. 바쁜 와중에도 귀한 시간을 내주신 취재원분들과 사랑하는 아내에게 감사를 표한다.

스텀잇

글 써서 돈 버는 소셜 미디어 플랫폼

4015만 4371달러. 2016년 6월부터 2018년 7월까지 스팀잇 Steemit이 사용자에게 지급한 활동비의 규모다. 블록체인[1] 기반 소셜 미디어 플랫폼 스팀잇은 글을 써서 암호 화폐를 벌 수 있다는 콘셉트로 서비스 초기부터 관심을 끌었다. 스팀잇은 재무분석가 출신의 네드 스콧Ned Scott과 개발자 댄 라리머Dan Larimer가 2016년 1월 설립했다.

나는 2018년 초 스팀잇 계정을 만들었다. 그전에는 카카오의 브런치를 이용했는데, 스팀잇을 시작한 후 브런치는 휴면 상태다. 브런치는 모바일에서도 편집이 쉽고 트래픽을 집계할 수 있어서 좋았지만, 구독자 수를 세는 것보다 업보트 (upvote, 페이스북의 '좋아요'와 비슷한 개념)와 스팀(Steem, 이용자에게 지급되는 암호 화폐)이 쌓이는 걸 지켜보는 재미가 더 컸기 때문이다.

나의 스팀잇 첫 글은 고작 업보트 네 개와 댓글 두 개를 기록하고, 그 대가로 32원을 벌었다. 게시물을 꾸준히 올린 건 아니지만, 스팀잇을 사용하면서 가장 먼저 든 생각은 '글 써서 돈 벌기 참 어렵다'였다.

스팀잇의 보상은 저자 보상과 큐레이션 보상으로 나뉜다. 저자 보상은 내가 올린 글이 업보트를 받으면 얻을 수 있다. 큐레이션 보상은 다른 이용자의 게시물에 업보트를 누르고 댓글을 남기거나 리스팀(공유하기)을 하면 주어진다. 업보트를 받으면 암호 화폐 스팀이 쌓이는데 7일 후 75퍼센트를 받을 수 있다. 이때 보상은 스팀이 아닌, 다른 암호 화폐 스팀파워Steem Power·SP 또는 스팀달러Steem Dollar·SBD로 제공된다. 나머지 25퍼센트는 업보트를 누른 이용자들이 나눠 갖는다.

스팀잇에서 통용되는 암호 화폐는 스팀, 스팀파워, 스팀달러, 세 가지다. 기본 화폐 단위는 스팀이다. 스팀은 암호 화폐 거래소에서 거래되는 코인으로 언제든 송금과 거래가 가능하다. 2018년 8월 13일 기준 1스팀의 시세는 4304원이다. 스팀은 증인witness으로 불리는 채굴자 20여 명이 일정량을 주기적으로 발행한다. 증인은 네트워크 보안과 정책을 이끈다.

스팀파워는 지분과 비슷한 개념이다. 스팀파워를 많이 보유하면 업보트의 힘이 세진다. 예컨대 스팀파워가 10인 계정과 1000인 계정이 똑같이 업보트를 했을 때, 스팀파워 1000인 계정의 업보트가 작성자에게 더 높은 보상을 가져다준다. 스팀파워 보유자는 스팀파워 보유액에 대한 이자를 지급받는다. 연간 발행량의 15퍼센트는 스팀파워 보유자에게 이자로 지급된다.

스팀달러는 스팀 가치 변동에 대한 불안을 줄이고 포스팅의 최소 가치를 유지하기 위해 만들어진 보조 화폐다. 예를 들어 업보트 30개를 받은 게시물의 보상액이 일주일 사이에 스팀 시세가 하락해 10만 원에서 1만 원으로 줄어든다면 이용자들이 스팀잇을 떠나게 된다. 그러나 스팀달러의 가치는 실물 화폐인 미국 달러 1달러에 고정되어 있어 스팀의 가치를 유지해 준다. 1스팀달러는 1스팀의 가격이 아무리 많이 떨어져도 미화 1달러 가치의 스팀을 받도록 해준다. 가령 1달러가 1000원이라고 가정할 때 1스팀이 500원이면, 1스팀달러는 2스팀으로 교환 가능하다. 보상으로 얻은 스팀달러와 스팀파워는 스팀으로 교환한 뒤 거래소에서 현금으로 환전할 수 있다.[2]

스팀잇이 암호 화폐를 세 개씩이나 운영하는 이유는 안정적인 시장 가격을 형성하기 위해서다. 대부분의 암호 화폐는 외부 거래소에서 가격이 형성된다. 스팀잇은 내부에서 스팀과 스팀달러의 거래를 가능하게 해 외부 거래소의 특정 세력에 의한 시장 가격 조작을 어렵게 했다.

스팀잇은 론칭 2년이 조금 넘은 2018년 5월, 가입자 수 100만 명을 돌파했다. 암호 화폐 통계 사이트 코인마켓캡에 따르면, 스팀의 시가 총액은 2018년 8월 13일 기준 2984억 원으로 전체 암호 화폐 중 35번째로 규모가 크다.

한국의 스팀잇 방문자 수는 미국에 이어 2위다. 스팀잇의 첫 화면 왼쪽에는 '전체 태그' 목록이 있다. 스팀잇은 사용자가 많이 사용하는 태그를 위에서부터 순서대로 보여 주는데, 한국을 나타내는 태그인 'kr'은 2018년 8월 기준 3위다.

한국 사용자가 그만큼 많다는 뜻이다. 많이 사용되는 태그 1위는 'life', 2위는 'photography'다.

스팀잇으로 하루 수백 달러를 버는 이용자가 수두룩하고, 스팀을 환전해 세계 여행 경비를 마련한 사례도 많다. 그럼, 스팀잇에서는 어떤 글이 돈이 될까. 보상금이 1000달러가 넘는 게시물 중에는 암호 화폐, 블록체인에 관한 글이 많았다. kr 태그가 달린 글 중에는 IT 기기 사용기, 블록체인 강의, 여행기가 많았다. 열성 스티미언(Steemian, 스팀잇 이용자)들은 신입 회원에게 스팀잇으로 돈을 벌려면 팔로워를 늘리고, 댓글로 소통하고, 양질의 글쓰기에 집중하라고 권한다.

서비스 초기이다 보니 단점도 적지 않다. '권력을 쥔' 일부 사용자가 시장을 좌우한다. 스팀파워를 많이 보유한 고래 Whale[3]의 입김이 굉장히 세다. 고래는 스팀잇 내에서 큰 영향력을 끼치는 사용자를 통칭하는 용어다. 고래가 업보트나 리스팀을 누르면 상당한 스팀달러가 게시물 작성자에게 돌아간다. 반대로 이들의 눈에 들지 못하면 스팀파워를 모으기가 어렵다. 고래끼리 서로 업보트를 누르는 담합이나, 자신의 글에 보팅하는 '셀프 업보트'도 문제다. 이런 시스템의 맹점으로 인해 글의 퀄리티가 낮아도 고래가 썼다는 이유만으로 보상금이 높은 경우가 잦다. 추천과 댓글 수가 콘텐츠의 질과 비례하지 않는다.

스팀잇은 페이스북, 인스타그램, 트위터 등 다른 소셜 미디어에 비해 사용이 어렵다. 가입 절차가 길고 까다롭다. 2018년 초에 가입한 나는 최종 승인까지 열흘이 걸렸다. 3주 이상 걸리는 경우가 태반이다. 숫자와 알파벳 대·소문자 52개로 이뤄진 스팀잇에서 제공하는 비밀번호를 잃어버리면 계정을 되찾을 수 없다. 실제로 스팀잇 웹사이트에는 '(신입 사용자가) 해야 할 일'의 첫 번째로 '비밀번호를 저장하세요'가 적혀 있다. 모든 사용자가 거래 장부를 공유하는 블록체인 기술의 특성상 글을 올리고 7일이 지나면 수정과 삭제가 불가능한 것도 단점으로 꼽힌다.

소셜 미디어 이용자에게 아무런 보상이 없는 것에 대한 반발로 생겨난 스팀잇은 토큰 이코노미Token Economics의 대표적인 성공 사례다. '토큰과 이것이 사용될 경제 시스템의 규칙을 설계하는 것'으로 정의되는 토큰 이코노미가 제대로 구축되기 위해서는 네 가지 조건을 충족해야 한다. 첫째 토큰 사용자에게 충분한 혜택이 제공되어야 하고, 둘째 이들이 토큰 얼리어답터가 되도록 인센티브를 줘야 하고, 셋째 얼리어답터가 신규 사용자를 끌어모으도록 추가 인센티브를 제공해야 하고, 넷째 토큰 프로젝트의 성장에 따른 혜택을 ICO(Initial Coin Offering, 암호 화폐 공개)[4]에 참가한 투기적인speculative 토큰 구매자에게 어필해야 한다. 스팀잇은 네 가지 조건을 고

루 갖춘 생태계다.[5]

스팀잇은 저자와 참여자에게 활동에 따른 금액을 지급하고, 지불의 불편함을 암호 화폐로 해결했다. 보상에만 그친게 아니라 스팀파워 보유자에게 영향력(투표권)을 제공해 커뮤니티 발전에 기여할 수 있도록 만들었다.[6]

스팀잇을 필두로 디지털 콘텐츠에 블록체인 기술을 활용한 사례가 빠르게 늘고 있다. 음원 플랫폼 스타트업 우조뮤직Ujo Music은 저작권 관리에 블록체인을 적용했다. 우조뮤직은 창작자가 등록한 음원에 저작권 코드를 부여하고, 소비자가 암호 화폐 이더Ether로 결제해 다운로드를 받으면 저작권자에게 수익이 돌아가는 시스템이다. 그래미상 수상자인 영국 가수 이모젠 힙Imogen Heap은 2015년 10월 신곡 〈Tiny Human〉을 우조뮤직에 공개했다. 음원 배급사라는 중개자 없이 크리에이터가 직접 소비자에게 음악을 판매한 새로운 시도였다. 블록체인 기술은 디지털 콘텐츠의 모든 영역에 적용되고 있다.[7]

네드 스콧 대표 인터뷰 ; "블록체인, 콘텐츠 배포의 미래"

스팀잇의 공동 창업자 겸 CEO 네드 스콧과의 인터뷰가 성사되기까지 꼬박 3개월이 걸렸다. 2018년 3월 초 스팀잇의 대표 계정으로 CEO 인터뷰를 요청했다. 임원 비서의 도움으로 홍보 대행사에 연락했고 질문지를 전송했다. 스무 통이 넘는 이메일을 주고받았다. 하지만 네드 스콧 CEO의 회신을 받는 데는 그로부터 두 달이 더 걸렸다. 동아시아 출장 등 바쁜 일정이 이어졌다는 게 관계자의 말이었다. 스팀잇의 빠른 성장을 엿볼 수 있었다. 스콧 CEO는 인터뷰에서 '양질의 콘텐츠'와 '적절한 보상', '스마트 미디어 토큰Smart Media Token·SMT'을 반복해서 강조했다.

스팀잇이 개발 중인 SMT는 고래의 어뷰징과 권력 독점 문제를 해결하고, 스팀잇의 생태계를 외부로 확장하기 위한 시도다. SMT는 누구나 스팀과 비슷한 토큰을 스팀 블록체인에서 만들 수 있는 환경을 제공한다. 코인과 토큰은 둘 다 암호 화폐지만 성격이 다르다. 자체 블록체인을 갖고 있으면 코인, 다른 블록체인을 사용하는 암호 화폐는 토큰이다. 가령 암호 화폐 시가 총액 2위인 이더리움은 코인, 시총 19위의 베체인은 이더리움 블록체인을 기반으로 만든 토큰이다. 기존 스팀잇이 steemit.com 안에서 콘텐츠를 유통하는 구조였다면, SMT는 기업이나 개인 누구나 스팀잇의 플랫폼을 자신의 서비스에 접목할 수 있는 플랫폼이다. 스콧 CEO는 2017년 9월 직접 SMT의 개념을 설명하고 개발 계획을 공개했다. SMT는 스팀잇 측의 주장대로 생태계를 확장하고, 소수의 권력 독점 문제를 말끔히 해결할까. SMT가 그저 스팀의 발행 총량을 늘리기 위한 꼼수라는 부정적인 시선도 있다.

네드 스콧 CEO

네드 스콧 CEO는 미국 베이츠대학교에서 경제학과 심리학을 전공하고 2012~2015년 식품 수입업체 겔러트 글로벌 그룹Gellert Global Group에서 재무분석가로 일했다. 그는 2013년 비트코인과 블록체인 기술의 가능성에 매료됐고, 개발자인 댄 라리머를 만나 창업을 결심했다. 공동 창업자 라리머는 2017년 3월까지 스팀잇의 CTO로 활동했다.

스팀잇 가입자가 100만 명이 넘었다. 굉장히 빠른 속도로 성장하고 있다.

스팀잇은 여느 소셜 미디어 시스템과는 완전히 다른, 보상 기반의 시스템이다. 적극적으로 콘텐츠를 만들고 참여하는 활성 사용자가 매일 1만 5000명씩 가입하고 있다. 대단히 자랑스럽게 여기는 업적이다.

블록체인 기술에 관심을 가진 계기는 뭔가?

2013년 블록체인의 개념을 처음 접하고 바로 빠져들었다. 무엇보다 블록체인 기술로 경제적인 보상을 얻는 새로운 방법이 매력적이었다. 온라인 커뮤니티에서 인센티브를 주는 자율적인 토큰 메커니즘autonomous token mechanisms으로 스팀잇이 무엇을 할 수 있을지 고민했다. 스팀잇은 상호 원조mutual aid의 아이디어에서 태어났다. 스팀잇은 개인이 콘텐츠를 게시하고 큐레이팅하는 커뮤니티에 의해 보상받을 수 있는 공간으로 급속하게 성장했다. 우리는 모든 것이 가치 있다고 생각한다. 스팀잇은 모든 사람의 목소리가 가치 있는 플랫폼이 되길 원한다.

스팀잇이 시네레오Synereo 등 다른 블록체인 기반 소셜 미디어 플랫폼과 차별화되는 점은 무엇인가?

Steemit.com은 세계 최대의 블록체인 기반 소셜 미디어 플랫폼이다. 스팀잇에는 사용자가 게시물을 올리고 댓글과 공유 등에 참여하는 대가로 보상을 받을 수 있는 광대한 공동체와 하위 커뮤니티가 있다. 스팀잇은 전 세계에서 흩어져 활동하는 20여 명의 증인이 관리 감독하는 DPoS(Delegated Proof of Stake, 위임 지분 증명) 방식의 블록체인을 기반으로 구축됐다. 2014년 설립된 시네레오는 이더리움 블록체인 방식인 PoW(Proof of Work, 작업 증명)[8]로 구축된 사이트다. PoW 기반의 서비스는 스팀잇보다 속도가 느려서 장애가 발생하기 쉽고, 거래당 비용도 많이 든다. 그러나 스팀 블록체인은 DPoS 시스템 덕분에 소액 결제에도 수수료가 없는 실시간 송금 서비스를 제공한다. 스팀잇에서 사용자는 무한한 잠재력을 실현할 수 있다. 스팀은 다른 모든 블록체인을 결합한 것보다 많은 결제를 처리한다. 사용자 경험과 기업의 기회 측면에서 다른 블록체인 기술보다 큰 잠재력을 갖고 있다.

스팀잇을 론칭한 지 2년이 넘었다. 올해의 계획은 무엇인가?

하반기에 스팀 블록체인 기반의 새로운 플랫폼인 스마트 미디어 토큰smt을 공개할 계획이다. 우리의 목표는 5년 이내 10만 명 이상의 기업가와 개발자가 스팀과 SMT를 통해 자체 커뮤니티와 토큰을 만들도록 돕는 것이다. 이를 통해 인터넷 시장 전체를 토큰화할 것이다. 모든 회사의 웹사이트를 스팀잇처럼 보상 체계로 업그레이드하고자 한다. 우리는 이것을 매우 현실적으로 본다. 기업가들은 기금 모금, 수익 창출, 지역 사회의 성장을 위한 완벽한 방법을 만들기를 원한다.

한국의 스팀잇 방문자 수는 미국에 이어서 두 번째로 많다. 한국이 아시아 시장을 선도하는 이유는 무엇일까?

아시아의 다른 나라와 비교해, 한국은 블록체인의 혁신과 글로벌 잠재력에 대해 매우 진보적이고 긍정적인 자세를 갖고 있다. 업비트와 같은 한국의 거래소에서 스팀을 거래하는 것도 크게 작용했을 것으로 본다.

페이스북의 정보 유출 문제가 스팀잇에는 기회가 될 수 있다는 의견이 있다. 스팀잇이 페이스북 수준으로 성장할까?

스팀잇은 페이스북, 트위터 등 소위 소셜 미디어 거물과는 완전히 다르다. 공개되고 분산되어 있고 아무도 사용자 데이터를 제어하지 못하기 때문이다. 스팀잇은 형식과 기능 면에서 레딧의 플랫폼에 가깝다. 페이스북의 수익 모델은 광고 공간과 사용자 데이터를 제3자에게 판매한다는 점에서 우리와 매우 다르다. 스팀잇은 재정적 이익을 위해 사용자의 데이터와 콘텐츠를 이용할 수 없다. 오히려 그 반대다. 좋은 콘텐츠를 공유하는 사용자에게 보상을 제공한다. 스팀 블록체인에는 저장된 데이터를 조작하고 제어하는 중앙 집중식 실체가 없다. 사용자 데이터의 사용 및 보안에 대한 인식이 높아짐에 따라 스팀잇과 같은 블록체인 기반 플랫폼은 더 많은 사용자를 모을 것이다. 먼 미래에는 스팀잇이 페이스북보다 더 커질 것으로 전망한다.

중앙 집중식 실체가 없다는 것은, 바꿔 말하면 유해 콘텐츠를 제어할 수단이 없다는 말과 같다. 부적절한 콘텐츠는 어떻게 걸러 내나?

오픈소스(개방형 소프트웨어)의 특성상, 우리는 스팀 블록체인의 콘텐츠를 검열할 수 없다. 다만 스팀잇 사용자가 가능한 한 적절한 콘텐츠를 게시하도록 하는 것이 운영진의 일이다. 우리는 표현의 자유를 존중한다. 스팀잇을 설립한 주요한 이유는 '사람들에게 힘을 돌려주려는 것'이다. 그렇다고 불법적이고 부적절한 콘텐츠를 그대로 방치하겠다는 의미는 아니다. 스팀잇 이용자는 유해한 콘텐츠를 다운보트할 수 있고, 특정 콘텐츠에 다운보트가 누적되면 그 콘텐츠의 작성자는 게시물을 올리는 권한이 박탈될 수 있다. 다운보트는 커뮤니티가 유해한 콘텐츠를 스스로 판단할 수 있도록 스팀 블록체인에 구축한 도구다.

커뮤니티의 자정 작용에만 의지하기엔 이용자가 너무 많은 것 아닌가?

우리는 스팀잇 이용자들이 광범위한 소비자에게 어필할 수 있는 가치 있는 콘텐츠를 올리고 보상을 받는 데 관심이 있다고 생각한다.

스팀잇 생태계에 대한 논란이 많다. 특히 고래의 권력이 너무 막강해서, 이용자들이 고래가 좋아할 만한 글만 쓴다는 지적이 있다.

우리는 더 공정하고 공평한 방식으로 토큰을 배포하기 위해, 일종의 데이터베이스 교환 규칙인 '오라클Oracles protocol'을 개발 중이고, 스팀 블록체인에 추가할 계획이다. 오라클은 '1계정 1보트One-User One-Vote'의 보상을 가능하게 하는 시스템이다. 즉 스팀파워와 상관없이 1개 계정이 1번만 보팅을 할 수 있도록 하는 것이다. 오라클이 추가되면 스팀파워의 크기에 비례하는 '1스팀파워 1보트One-SP One-Vote'의 기존 보상 체계를 일부 보완할 것으로 기대한다. 이 시스템의 디자인을 지속해서 개선하는 것은 우리의 사명이다.

스팀잇에 한번 올린 글은 수정하거나 삭제할 수 없어 불편하다는 의견도 많다.

스팀 블록체인에 올라온 모든 콘텐츠는 우리가 통제할 수 없는 분산된 데이터베이스에 남아 있다. 아직 공개하기는 어렵지만, 이를 해결할 기능이 곧 제공될 예정이다.

블록체인 기술의 미래를 어떻게 전망하나?

더 많은 기존 비즈니스가 토큰화된 모델로 바뀔 것이다. SMT가 출시되면 개발자, 사업자 등 누구나 스팀과 비슷한 자신만의 토큰을 손쉽게 스팀 블록체인에서 만들 수 있다. 가령 뉴욕 타임스도 '뉴욕타임스 토큰'을 발행해, 기사에 댓글을 단 독자에게 암호 화폐를 보상으로 줄 수 있다. 사용자 상호 작용을 장려하는 블록체인 모델을 통해 새로운 비즈니스를 창출하는 추세가 이어질 것이다. 새로운 블록체인 기술이 등장하면 기업 활동에 도움이 될 것이다. 우리는 스팀과 SMT가 모금

활동, 커뮤니티 강화, 수익 창출의 쉬운 방법을 제공해 새로운 인터넷 비즈니스 모델을 개척할 수 있기를 바란다. 블록체인 기술의 성장 속도는 느려지지 않을 것이다.

스팀잇 이용자들은 앞으로 무엇을 기대할 수 있을까?

스팀은 인터넷의 미래다. 스팀의 오픈소스를 활용해 새로운 것을 쉽게 만들고 미래를 가속할 수 있기를 바란다. steemit. com은 아직 빙산의 일각에 지나지 않지만, 스팀이 참여와 가치에 보상을 지급해서 커뮤니티를 활성화할 수 있다는 것을 보여 준다. SMT는 우리가 토큰화된 인터넷에 더 가까이 다가가도록 돕는다. 기업은 자사의 커뮤니티에서 행동을 유도할 수 있으며, 스팀 블록체인의 성장에서 얻은 우리의 성공 노하우를 공유받을 수 있다.

한국에서도 많은 언론사가 스팀잇 계정을 만들었다. 다른 뉴스 플랫폼이 아닌, 스팀잇에서만 얻을 수 있는 것이 있다면.

스팀을 활용하기 위해 기존 수익원을 포기할 필요는 전혀 없다. 스팀잇은 기존 솔루션에 보완적인 오픈소스 솔루션을 개발하기 위해 노력하며, 상호 배타적이지 않다. 탄탄한 수익원과 팬 커뮤니티를 갖고 있어도 수익을 창출하기가 점점 어려워지고 있다. 많은 독자가 콘텐츠 유료화와 팝업 광고에 실망한다. 독자들은 성가신 광고 없이 콘텐츠를 사용할 수 있어야 한다고 생각한다. 스팀과 SMT는 실용적인 대안을 제공한다. 더 많은 미디어 기업이 잠재 고객을 위한 새로운 인센티브를 갖춘 토큰화된 모델을 적용할 수 있도록 돕는다. 우리는 이것이 콘텐츠 배포의 미래라고 믿는다. 스팀이 '기회의 블록체인'이라는 것을 알리고 싶다.

파이브 툴 플레이어, 다 잘하는 쿼츠

쿼츠Quartz는 2012년 9월 론칭한 미국의 경제 전문 디지털 미디어다. 이 매체는 웹사이트에 명시해 놓은 것처럼 '글로벌 감각이 있는 비즈니스맨을 위한 창의적이고 지적인 저널리즘을 제공'한다.

161년 전통의 미국 언론사 애틀랜틱미디어컴퍼니가 모바일에 최적화된 미디어 쿼츠를 론칭했을 때, 그들의 시도는 별난 실험 정도로 여겨졌다. 초기에는 PC 웹페이지와 모바일 앱 없이 모바일 웹페이지만 있었다. 모바일 페이지에는 정치, 경제, 국제 식의 뉴스 구분이 아닌 '오브세션Obsessions'이라는 낯선 카테고리만 있을 뿐이었다. 오브세션은 기자의 시각이 반영된 이슈 정리인데, 항목은 수시로 바뀐다. 2018년 7월에는 육아의 기술The Art of Parenting, 아프리카 혁신가Africa Innovators, 에너지 쇼크Energy Shocks, 일의 미래Future of Work와 같은 이름의 시리즈가 실렸다.

육아의 기술에는 이 섹션을 만든 배경이 짤막하게 쓰여 있다. "정보화 시대의 육아는 미치도록 어려운 일maddening입니다. 양육에 관한 데이터와 전문가의 의견은 어디에나 있지만, 실제로 도움이 되는 가이드는 늘 부족합니다. '사랑하라 그렇지만 엄하게', '격려하라, 그러나 응석은 받아 주지 말 것' 등 상반되는 조언이 쏟아집니다. 쿼츠는 육아에 관한 모든 정보를 제공하겠습니다." 금융, 정책, IT, 자동차 등으로 나뉘는 일반 경제 매체의 카테고리와 확실히 구별된다.

쿼츠는 론칭 4년 만인 2016년 흑자 전환했다. 2013년 매출액 380만 달러, 2014년 1000만 달러, 2015년 1860만 달러를 거쳐, 2016년 3000만 달러(약 350억 8800만 원)를 달성했다. 2017년에는 광고가 줄어든 탓에, 전년보다 감소한 2760만 달러를 기록했다. 2018년 매출 규모는 3500~3800만 달러에 달할 것으로 전망된다.[9] 웹사이트의 월평균 순방문자 수는 2017년 2200만 명을 돌파했고, 이메일 뉴스레터 구독자 수는 2017년 한 해 동안 두 배가 늘어 70만 명에 달한다.

가파른 성장의 배경에는 꾸준한 혁신이 있었다. 2013년 8월 독자가 기사 본문에 직접 의견을 남길 수 있는 주석 달기Annotations 서비스, 2015년 6월 차트 공유 플랫폼 아틀라스Atlas, 2016년 2월 대화형 뉴스 앱(애플 선정 '2016년 최고의 앱'), 2016년 7월 각종 경제 지표를 알기 쉬운 도표로 보여 주는 인덱스Index 등을 차례로 공개했다. 2016년 11월에는 아마존의 인공지능 스피커가 쿼츠의 뉴스레터를 읽어 주는 서비스 플래시 브리핑스Flash Briefings를 시작했다. 2017년에는 페이스북 메신저 봇, AR 기술을 활용한 뉴스 등을 공개했다.

디지털 기업을 지향하는 미디어 기업답게 데이터를 중시하지만, 그렇다고 데이터에 의존해 모든 결정을 내리지는 않는다. 제이 라우프Jay Lauf 발행인은 2017년 3월 독일 베를린에서 열린 DISDigital Innovators' Summit에서 "쿼츠는 큰 결정을 내릴 때는 직감에 따르고, 작은 결정은 데이터에 따른다"고 말했다.[10]

브랜드 디자인도 준수하다. 암청색과 자색 위주의 간결한 비주얼은 차트와 일러스트레이션만으로도 쿼츠의 콘텐츠임을 알게 한다. 기술 스타트업으로 불릴 만한 혁신적인 서비스, 늘어나는 광고주와 트래픽, 브랜드 디자인까지, 쿼츠는 야구에서 말하는 '파이브 툴 플레이어(five-tool player, 정확성·파워·수비·송구·주루 능력을 모두 갖춘 선수)'로 불릴 만한 매체다.

쿼츠의 혁신은 어디에서 비롯하는 걸까. 쿼츠의 편집장을 인터뷰하고 관계자와 연락을 주고받으며 나의 눈길을 끈건 쿼츠의 혁신보다 '애티튜드(attitude, 태도)'였다. 업무 스타일은 짧고 핵심을 짚는 그들의 콘텐츠를 닮았다. 늘 독자의 피드백에 촉을 세우고, 일 처리가 굉장히 빠르다. 쿼츠 홍보팀과 이메일을 수십 번 주고받으면서, 답장은 늘 10분 이내로 받았다. "여전히 우리는 스타트업"이라고 말하는 케빈 딜레이니Kevin Delaney 편집장의 소신을 곳곳에서 발견할 수 있었다.

2018년 7월 쿼츠의 매각 소식이 들려왔다. 2008년 설립된 일본의 미디어 기업 유자베이스Uzabase가 7500만~1억 1000만 달러의 금액으로 쿼츠를 인수했다. 인수 금액은 쿼츠의 올해 매출 규모에 따라 확정될 예정이다.

쿼츠의 모기업 애틀랜틱미디어의 데이비드 브래들리 David G. Bradley 회장은 2017년 7월 디 애틀랜틱The Atlantic을 스티브 잡스의 부인인 로렌 파월 잡스가 운영하는 자선 단체 에머슨 콜렉티브Emerson Collective에 매각한 데 이어, 1년 만에 쿼츠를 팔았다. 브래들리 회장은 이미 수년 전 애틀랜틱미디어에 속한 매체를 차례로 매각할 것이라고 말한 바 있다.[11]

유자베이스의 주력 서비스는 스피다Speeda와 뉴스픽스 NewsPicks다. 2008년 론칭한 스피다는 전 세계 금융 정보를 실시간으로 분석해 제공하는 블룸버그 단말기Bloomberg terminal와 유사한 서비스다. 아시아의 560개 산업과 460만 개 기업의 데이터를 제공한다. 2013년부터 서비스를 시작한 뉴스 애그리게이터aggregator[12]인 뉴스픽스의 가입자 수는 일본에서만 330만 명에 달한다. 2017년에는 다우존스와 합작해 만든 뉴스픽스 미국판이 공개됐다.

쿼츠와 유자베이스의 거래는 양사 모두에게 이득이 될 것으로 보인다. 쿼츠는 유자베이스의 유료 서비스 노하우를 얻고, 유자베이스는 아시아권 밖으로의 서비스 확장에 쿼츠의 도움을 받을 것이다. 쿼츠의 인력은 자체 콘텐츠 외에도 뉴스픽스 서비스 영어 버전의 제작을 맡는다.

주인이 바뀐 쿼츠는 네이티브 광고에 의존하던 기존의 수익 모델에서 유료 콘텐츠 중심의 모델로 변화를 꾀하고 있

다. 쿼츠의 케빈 딜레이니 편집장과 제이 라우프 발행인은 매각 이후 공동 CEO를 맡고 있다.[13]

케빈 딜레이니 편집장 인터뷰 ; "254개 단어, 짧은 기사에 답이 있다"

2016년 11월 서울 종로구의 한 호텔에서 쿼츠의 편집장 겸 공동 창업자 케빈 딜레이니를 처음 만났다. 그는 미국 샌프란시스코, LA, 홍콩을 거친 출장의 마지막 일정으로 서울을 방문했다. 직접 만난 딜레이니 편집장은 20여 년 경력의 고참 기자가 아니라 스타트업 창업자에 가까웠다. 그는 격식이 없었다. 악수를 하고 그가 건넨 첫마디는 "So, what are we gonna do?"였다. 특유의 열정도 돋보였다. 편집장은 인터뷰 중간중간 부연 설명을 위해 자신의 아이폰으로 쿼츠 기사와 인포그래픽을 보여 줬다.

　쿼츠가 파이낸셜타임스FT와 이코노미스트 웹페이지의 월평균 순방문자 수를 넘어선 비결을 묻자, 딜레이니 편집장은 패션업체 바나나 리퍼블릭에 관한 254개 단어 분량의 기사를 보여 줬다. 쿼츠는 기사를 주로 500개 단어 이내로 쓰고 적절한 이미지와 차트를 넣는데, 이것이 기사 공유 수와 트래픽을 늘리는 비결이라고 말했다. 너무나 유명한 '쿼츠 커브Quartz Curve'다. 쿼츠는 단어 500~800개 분량의 콘텐츠는 잘 공유되

케빈 딜레이니 편집장

지 않는다고 주장한다. 그래서 쿼츠의 기자들은 단어 500개 이내 또는 1000개 이상의 기사를 쓴다. '독자가 원하는 분량은 어느 정도인가'라는 고민에서 분석을 시작했다고 편집장은 덧붙였다. 당시 실시한 대면 인터뷰와 최근까지 이어진 이메일 인터뷰를 재구성했다.

TV 프로듀서, IT 기자, 온라인 에디터 등 다양한 경력을 갖고 있다. 쿼츠의 뉴스룸을 이끌어 가는 데 어떤 도움이 됐나?

쿼츠에 합류하기 전 16년간 월스트리트저널WSJ에서 일했다. 10년간 테크놀로지 분야를 취재하는 기자로, 나머지 6년을 뉴욕 본사에서 온라인 에디터로 일했다. 기자 시절 샌프란시스코, 파리 등지에서 구글, 페이스북, 트위터와 같은 IT 기업들을 취재했다. 나는 스타트업들이 일하는 방식에 관심이 많고, 그것을 익히 알고 있다. 더불어 전자 기기의 작동 방식, 디자인에 많은 관심이 있다. WSJ에서 일하면서 각종 IT 신기술을 저널리즘에 적용했다. 이런 경험들이 쿼츠에서의 활동에 도움이 됐다.

IT 분야에는 언제부터 관심을 가졌나?

언론사에 발을 들이기 전부터 IT 기술에 관심이 많았다. 1980년대 중반 대학생 신문의 에디터로 활동했다. 애플의 매킨토시가 시중에 나온 지 몇 년 되지 않았을 때였다. 당시 우리 학보사 기자들은 매킨토시의 프로그램으로 레이아웃을 짜는 등 신문 제작에 컴퓨터를 적극 활용했다. 인터넷이 등장한 초기에는 파일 전송 전용 서비스인 FTPFile Transfer Protocol를 이용해 신문 파일을 업로드했다. 포토샵의 첫 버전이 나왔을 때도 바로 썼다. 그때부터 지금까지 테크놀로지를 활용하는 저널리스트로 활동하고 있다.

쿼츠에는 언제 합류했나?

2012년 2월에 들어왔다. 쿼츠를 정식 창간한 건 그해 9월이다.

쿼츠의 콘텐츠 하면 차트가 단연 돋보인다.

차트와 그래픽은 쿼츠 저널리즘의 핵심 요소다. 우리 기자들은 차트를 직접 만든다. 2014년 한 해 동안 4000개 이상을 제작했다. 2016년 들어 기자가 늘면서 차트 수가 급증했다. 쿼츠는 2015년 6월 차트 공유 플랫폼 아틀라스를 공개했다. 이 웹사이트에서 사용자들은 자신이 원하는 데이터를 차트 형식으로 다운로드받을 수 있다. 소셜 미디어 공유도 쉽다.

좋은 차트의 기준은 무엇인가?

최대한 간단해야 한다. 독자들이 이해하기 쉽게 만들어야 한다. 몇몇 미디어는 차트를 너무 복잡하게 만든다. 포인트를 잡아야 한다.

기자의 시각으로 이슈를 정리하는 '오브세션', 여러 기사를 엮어 하나의 주제로 편집한 '특집 기사Featured' 같은 독특한 기사 분류가 눈에 띈다. 쿼츠의 콘텐츠 제작 과정을 설명해 달라.

쿼츠는 글로벌 경제 변동을 즉각 반영하는 뉴스룸을 운영하고자 한다. 우리는 창간 당시부터 기사 분류 방식이 바뀌어야 한다고 생각했다. 우리의 기사는 단순히 경제, 국제, 금융, 기업 섹션으로 나뉘는 게 아니라 오브세션이라는 코너로 분류된다. 가령 기술 대신 '기계와 뇌(의 연결)'라는 문패로 기사를 분류하고 정리한다. 이밖에도 금융 시장이라는 넓은 범위의 섹션 대신 금융 위기, 환경 대신 기후 변화, 중국 대신 중국의 아프리카 투자와 같은 분류로 급변하는 시장 상황을 반영한다. 쿼츠 웹페이지는 특집 기사, 최근 기사, 인기 기사, 오브세션, 이메일 뉴스레터, 에디션, 여섯 개의 섹션으로 구성된다.

오브세션을 기존 저널리즘의 문법으로 해석하자면, 기획 기사나 커버스토리 모음 정도로 볼 수 있겠다. 편집장의 아이디어인가?

그렇다. 창간 초기에 제안했다. 아이디어는 매거진에서 가져

왔다. 나는 매거진을 굉장히 좋아한다. 쿼츠를 창간하면서 좋은 잡지에서 좋은 아이디어를 많이 가져오려고 했다. 동시에 좋은 잡지는 무엇인가를 고민했다. 온라인 매체인 쿼츠에 적용할 만한 요소가 무엇일까를 진지하게 고민했다. 그런 과정에서 탄생한 것이 오브세션이다. 좋은 잡지에는 일종의 '집념 obsessions'이 있다. 독자들이 어떤 사안에 대해서 무엇이 문제이고 핵심인지 명확하게 인식하도록 돕고 쿼츠의 의견을 제시하는 게 중요하다. 적은 인력으로 시작한 쿼츠가 모든 분야를 다룰 수 없기 때문에, 정말 중요한 이슈만 쓰기로 의견을 모은 것도 이유 중 하나다. 쿼츠의 창간 초기, 저널리스트는 15명밖에 안 됐다. 우리는 오브세션이라는 방식이 독자들에게 유용한 정보를 줄 것이라는 확신이 있었고, 실제로 독자들의 반응도 좋았다.

어떤 잡지를 좋아하나?

와이어드, 뉴욕매거진, 뉴요커, 모노클은 매달 본다. 모노클을 특히 좋아한다.

쿼츠의 직원 규모는 얼마나 되나?

215명이다. 기자, 에디터 등 저널리스트는 100명이 넘는다. 직원의 40퍼센트는 마케팅, 영업, 홍보 업무를 맡고 있다. 나머지 25명은 개발, 디자인 인력이다. 저널리스트 중 몇 명은 기사를 쓰면서 개발, 디자인 업무도 동시에 한다.

쿼츠 웹페이지의 월평균 순방문자 수는?

2015년 12월, 1700만 명이었고 당시 이미 FT와 이코노미스트의 방문자 수를 넘어섰다. 지금은 2200만 명에 육박한다. 이메일 뉴스레터, 비디오, 모바일 앱, 구글 뉴스 이용자 수를 뺀 수치다. 실제로는 더 많을 것이다. 우리는 되도록 많은 독자에게 도달하고자 노력한다. 트위터, 링크드인, 야후, 트위터 계정에 기사를 적극적으로 올린다. 기자 수가 늘고 많은 기사를 쓴 덕에 꾸준히 성장할 수 있었다.

공유가 잘되는 기사의 특징이 있다면.

쿼츠의 콘텐츠에는 글자 수에 대한 규칙이 있다. 기사를 단어 500개 이내 또는 1000개 이상으로 쓴다. 500~800개의 분량은 피한다. 우리는 내부 연구를 통해 그 길이의 콘텐츠가 덜 공유된다는 사실을 알 수 있었다. 이런 특징을 쿼츠 커브라는 그래프로 설명할 수 있다. 이 아이디어는 '콘텐츠의 길이가 어느 정도일 때 독자들이 가장 읽기를 원하는가'라는 고민에서 출발했다. 기사 길이가 짧다고 해서 내용이 단순한 건 아니다. 말하고자 하는 바가 확실하면서 내용이 특별해야 한다. 기사 하나를 예로 설명하겠다. (자신의 아이폰을 보여 주며) 이 기사의 분량은 254개 단어에 불과하지만, 이미지, 차트, CEO의 발언 등을 적절히 사용해서 주요 정보를 빠짐없이 제공한다.

<u>가능한 한 많은 독자에게 도달하고 싶다고 했는데, 쿼츠의 타깃 독자가 따로 없다는 말로도 들린다.</u>

그렇지는 않다. 쿼츠는 글로벌 비즈니스 리더들을 대상으로 콘텐츠를 제공한다. 우리의 임무는 글로벌 경제의 새로운 가이드가 되는 것이다. 내 아들이 15살인데, 그 또래는 우리가 고려하는 독자가 아니다. (웃음)

<u>많은 독자에게 도달하기 위한 노력이라면.</u>

독자들의 성향을 다각도로 분석한다. 데이터 분석 업체인 파

슬리Parse.ly의 대쉬Dash, 구글 애널리틱스, 킨Keen 등 여러 트래픽 분석 도구를 쓴다. 실시간 트래픽뿐만 아니라 독자의 연령대, 관심 이슈, 소셜 미디어 유입 정도 등 파악할 수 있는 모든 데이터를 들여다본다. 개발자뿐 아니라 저널리스트, 디자이너 등 쿼츠의 모든 직원이 이런 프로그램을 쓴다.

목적이 뭔가? 단지 트래픽을 위해서?

그렇다Just for traffic. 독자가 어떤 주제를 좋아하는지 다들 관심이 많다. 기자와 에디터가 같이 보고 의논한다. 어떤 기사가 많이 읽히는지 꾸준히 추적한다. 어떤 독자가 보는지, 시장의 수요가 어떻게 되는지를 분석한다.

다양한 플랫폼에 콘텐츠를 유통하는데, 이것도 독자 확보를 위한 시도인가?

쿼츠는 다양한 시도를 정말 많이 한다. 2016년 10월엔 문화, 패션, 음식, 여행, 예술 관련 콘텐츠를 담은 주간 이메일 뉴스레터 '쿼치Quartzy'의 서비스를 시작했다. 매주 하나씩 발송한다. 일일 뉴스레터인 '데일리 브리프Daily Brief'가 텍스트로만 이뤄진 서비스인 것에 비해 쿼치는 이미지와 비디오를 배치해 화려함을 더했다.

우리는 저널리즘과 기술을 결합한 많은 실험을 한다. 쿼츠는 모바일 앱에 더 많은 투자를 할 계획이다. 2016년 1월 론칭한 챗봇(Chatbot, 채팅 로봇) 서비스도 추가 개발 중이다. 쿼츠는 비영리 언론 단체인 나이트 재단Knight Foundation의 지원을 받아 설립한 '쿼츠봇 스튜디오'에서 뉴스 로봇에 관한 각종 실험을 하고 있다. 2016년 11월에는 아마존의 인공지능 음성 인식 스피커가 쿼츠의 일일 뉴스레터를 읽어 주는 서비스를 시작했다. 팟캐스트 서비스는 2016년 6월 말을 마지막으로 서비스를 중단했다.

팟캐스트 서비스는 왜 중단했나?

2016년 6월까지 평균 20만 명이 구독했고 독자들의 반응도 좋았다. 하지만 우리는 다른 것에 집중하기로 결정했고 과감히 서비스를 그만두기로 했다. 쿼츠는 이미 굉장히 많은 것을 하고 있다. 우리는 모든 걸 할 수 있다. 하지만 스타트업인 쿼츠는 할 수 있는 것과 해야 하는 것을 파악하고, 해야 하는 것에 집중하는 일이 굉장히 중요하다고 생각한다.

뉴욕 맨해튼의 쿼츠 뉴스룸

**쿼츠가 여전히 스타트업이라고 생각하나? 직원 수는
200명이 넘고, 매출 규모도 3000만 달러에 달하는데.**

그렇다. 창간을 준비하던 2012년 2월부터 지금까지 쿼츠가
스타트업이라고 생각해 왔다. 물론 쿼츠는 보통의 스타트업
처럼 벤처캐피털의 지원을 받지 않는다. 쿼츠는 애틀랜틱미
디어의 소유이고 모기업의 자본, 인력, 홍보, 법률적 지원을
받지만, 내가 처음 쿼츠에 합류했을 때 뉴욕 사무실엔 가구도
없고 인터넷 연결도 안 되어 있었다. 노트북을 맨바닥에 두고
일했다. (웃음) 우리는 그렇게 시작했다. 나를 비롯한 창간 멤
버 모두가 '자 이제 어떻게 시작해야 할까'를 치열하게 고민

했다. 규모가 많이 커지면서 뉴욕 맨해튼 내에서 사무실을 옮겼다. 비디오 촬영을 위한 공간도 늘렸다. 새로 옮긴 뉴스룸에서 리처드 브랜슨Richard Branson 버진그룹 회장, 닉 덴튼Nick Denton 고커미디어 창업자 등을 인터뷰했다.

> 소셜 미디어 이야기를 이어서 하자면, 쿼츠 웹페이지의 트래픽 중 70퍼센트가 소셜 미디어에서 온다는 분석이 있다. 지금 당장은 문제가 없겠지만 그만큼 위험 부담이 있지는 않을까. 페이스북이 알고리즘을 바꾸면 영향을 받을 수밖에 없을 텐데.

웹사이트 트래픽에서 소셜 미디어가 차지하는 비중은 2016년 70퍼센트였고 지금은 그 이상일 것이다. 페이스북뿐 아니라 링크트인, 레딧, 트위터 등 여러 소셜 미디어의 유입량을 합한 것이다. 페이스북이 정책과 알고리즘을 바꾼다고 해서 쿼츠가 큰 영향을 받는다? 그 의견에는 동의하지 않는다. 페이스북의 월간 이용자 수는 17억 명에 달한다. 여전히 가장 많은 이용자 수를 보유하고 있다. 그들은 뉴스피드의 알고리즘을 수시로 바꾼다. 쿼츠의 콘텐츠는 페이스북에 최적화된 게 아니다. 그래서 그들의 전략은 우리 웹사이트의 트래픽에 큰 영향을 미치지 않을 것으로 본다.

챗봇과 인공지능 기술을 실험하는 '쿼츠봇 스튜디오'
는 어떤 성과를 냈나?

2017년 3월 공개한 '퀵봇Quackbot'이 한 예다. 이 툴은 작성 중
인 기사의 클리셰(상투적인 표현)를 거르고 열어 본 페이지의
URL을 자동 저장하고, 기사 주제에 맞는 신뢰할 만한 데이터
를 제공한다. PDF 파일의 텍스트와 차트를 기사 본문에 쓸 수
있도록 추출하는 기능도 제공한다.

2016년 11월 미국 대선 당시 쿼츠의 보도를 눈여겨봤
다. CNN과 USA투데이가 웹페이지 첫 화면에서 선거
결과를 비디오로 생중계한 것에 비해 쿼츠의 보도는 다
소 정적으로 보였다.

그렇게 보였을 수도 있다. 우리는 속보보다 선거 결과에 대한
분석에 집중했다. 선거 당일 쿼츠가 내놓은 콘텐츠는 50여 개
다. 우리 웹페이지인 qz.com의 첫 화면에는 라이브 영상이 없
었지만, 별도로 라이브 블로그를 운영했다. 사실 우리는 홈페이
지에 크게 관심이 없다. 우리는 우리의 콘텐츠가 어디로 가고,
얼마나 공유되는가에 가장 큰 관심을 갖고 그것에 주력한다.[14]

2017년 10월 새로 공개한 '쿼츠 앳 워크Quartz At Work'는 어떤 서비스인가?

일은 우리 정체성의 중요한 요소다. 많은 사람에게 자부심일 뿐 아니라 스트레스가 되기도 한다. 쿼츠의 새로운 에디션 쿼츠 앳 워크는 당신이 더 나은 매니저가 되고, 경력을 설계하고 세련된 직장을 탐색하기 위한 지침이다. 각종 정보를 work. qz.com에서 찾을 수 있다. 쿼츠 앳 워크 제작을 위해 비즈니스, 금융, 경영 분야를 10년 이상 취재한 저널리스트로 구성된 전담팀을 만들었다. 우리는 쿼츠의 독자가 국제적인 감각을 가진 유능한 비즈니스 전문가임을 알고 있다. 우리가 관찰한 바에 따르면, 독자 대다수가 지금의 경영 관리 분야 콘텐츠에 만족하지 않는다. 너무 전통적이거나 충분히 정교하지 않은 기사가 대부분이다. 우리는 그 간격을 메우기 위해 쿼츠 앳 워크를 만들었다. 우리는 독자의 아이디어와 피드백을 환영한다.[15]

쿼츠는 새로운 뉴스레터 서비스를 꾸준히 공개한다. 뉴스레터 서비스를 집요하게 파고드는 이유는 무엇인가?

2017년 9월에는 매일 오후 4시에 도착하는 새 뉴스레터 서비스 쿼츠 오브세션Quartz Obsession을 선보였다. 이 뉴스레터에는 차트, 통계, 퀴즈, 투표와 같은 콘텐츠가 제공된다. 아침 뉴스레터인 퀴츠 데일리 브리프가 주요 기사 20개를 제공한다면, 오후 뉴스레터인 퀴츠 오브세션은 독자가 틈새 영역의 콘텐츠를 더 많이 소비하도록 돕는다. 퀴츠는 이 밖에도 문화 콘텐츠 주간 뉴스레터 퀴치, 차트를 모아서 보여 주는 주간 뉴스레터 인덱스Index 등을 제공한다.

퀴츠는 2018년에도 뉴스레터를 강화할 예정이다. 상반기에는 다보스 포럼, CES(국제 전자 제품 박람회), SXSW(사우스 바이 사우스 웨스트), 칸 영화제, MWC(모바일 월드 콩그레스) 등 국제 행사 콘텐츠를 중점적으로 다루는 '팝업 뉴스레터' 서비스를 선보일 계획이다. 퀴츠 데일리 브리프의 평균 오픈율은 40퍼센트인데, 2017년에 제공한 다보스 뉴스레터는 63퍼센트에 달했다. 이메일 서비스는 잠재 고객에게 다가갈 수 있는 가장 좋은 수단이다. 퀴츠의 뉴스레터 구독자 수는 70만 명으로, 2017년 한 해 동안 규모가 두 배 늘었다.

<u>2015년부터 아프리카와 인도 지역 특화 콘텐츠를 제공하고 있다. 아시아 독자들을 타깃으로 한 콘텐츠를 확대 제공할 계획이 있나?</u>

아시아 지역의 독자들이 매년 늘고 있다. 퀴츠 홍콩 지부에는

8명의 풀타임 직원이 있다. 그러나 아쉽게도 현재까지 아시아 지역의 언어로 된 콘텐츠를 제공할 계획은 없다.

쿼츠는 창간 초기부터 지금껏 여러 혁신 사례를 내놨다. 기술 분야에 능한 저널리스트를 선호하나?

코딩을 다루는 기자를 선호하지만, 그렇다고 코더가 되라고 강요하지는 않는다. 다만 저널리스트들에게 두 개 이상의 언어를 구사할 것을 주문한다. 우리는 글로벌 경제를 주로 다루고, 세계 각 지역의 비즈니스 종사자를 위한 콘텐츠를 제작하기 때문에 현지 상황과 언어를 아는 유능한 기자를 선호한다.

퍼블리

크라우드 펀딩에서 멤버십까지

미디어 스타트업 퍼블리PUBLY는 "콘텐츠의 기획안만 보여 주고 판다"는 콘셉트로 2016년 1월 등장했다. 퍼블리는 소비자가 원하는 주제와 유형의 콘텐츠를 만들어 유통한다. 결제 방식은 다수의 개인에게서 자금을 모으는 크라우드 펀딩이다. 지적 콘텐츠에 크라우드 펀딩을 적용한 건 퍼블리가 국내 초기 사례로, 도입 당시 굉장히 신선하다는 반응을 얻었다. 퍼블리는 정식 사이트를 만들기 전에는 국내 크라우드 펀딩 플랫폼인 텀블벅tumblbug에 콘텐츠를 올려 모금했다.

개당 1만 원이 넘는 디지털 콘텐츠의 저자는 퍼블리의 직원이 아닌 외부 전문가다. 저자는 퍼블리가 선정한, 또는 저자가 직접 고른 해외 콘퍼런스에 참석해 A4 용지 50~100페이지에 달하는 리포트를 쓰고 오프라인 강연에서 현지 경험을 말한다. 이를테면 미국 텍사스 오스틴에서 열리는 음악·테크 축제 SXSW에 다녀온 저자가 취재 기록과 함께 생생한 후기를 전한다. 퍼블리가 발행하는 일, 라이프 스타일, 테크, 브랜딩, 미디어 분야의 콘텐츠는 웬만한 기사보다 깊이가 있다. 그렇다고 '스터디'만 하는 건 아니다. 피아노 콘서트, 맥주 파티도 연다. 그래서 회사 이름도 저자와 독자가 커뮤니티를 이루는 펍pub, 콘텐츠 퍼블리싱publishing의 영문 앞 글자를 따서 지었다.

퍼블리는 목표 금액을 달성해야 상품을 내놓는다. 퍼블

리의 전략은 리스크를 최소화한다는 점에서 '스마트하다'는 평가를 받는다. 하지만 다수가 원하는 콘텐츠가 아니면, 일부 이용자의 구매 의사가 있어도 콘텐츠를 발행하지 않는다. 모금액이 목표액에 미달하면 프로젝트는 자동 취소된다.

흥행 성적은 어떨까. 퍼블리는 '장사'도 곧잘 한다. 콘텐츠와 오프라인 모임을 결합해 커뮤니티를 구축해 온 퍼블리는 소위 대박 콘텐츠들이 나오면서 이용자가 급속히 늘었다. 법인을 설립한 2015년 4월부터 2018년 8월까지 120개의 프로젝트를 진행했고, 그중 102개는 목표 금액을 달성해 발행까지 이어졌다. 1000만 원을 넘게 번 프로젝트는 15개다. 2018년 8월, 퍼블리의 웹페이지에는 8개 프로젝트가 예약 판매 중이다. 상하이 조이 시티Joy City와 런던 바비칸 센터Barbican Centre 등 독특한 콘셉트의 공간을 취재한 리포트는 목표 금액인 100만 원을 471퍼센트 초과 달성했다. 마감일은 아직 보름이 넘게 남았다.

퍼블리는 2017년 7월 정기 구독 모델을 도입했다. 월 2만 1900원을 내면 이제까지 발행한 모든 콘텐츠를 읽을 수 있다. 모두 목표한 예약 금액을 달성한 '검증된' 콘텐츠다. 2018년 8월 현재 사이트 가입자 수는 3만여 명, 예약 구매자를 제외한 멤버십 유료 고객은 3500명을 넘어섰다. 멤버십 고객의 월평균 재가입률은 85퍼센트에 달한다.

퍼블리는 지금까지 국내에 없던 기업이다. 언론사도, 출판사도 아닌 이 스타트업은 크라우드 펀딩을 통한 예약 구매에서 정기 구독으로 핵심 서비스를 바꿔 가며, 척박한 유료 콘텐츠 시장에서 쑥쑥 크고 있다. 퍼블리의 박소령 대표는 2018년 6월 자신의 페이스북에 장문의 글을 올려 서비스 아이덴티티가 커머스(commerce, 판매)에서 콘텐츠로, 소유에서 구독으로 바뀌었음을 알렸다.

기술 스타트업의 성격도 강하다. 2018년 8월 기준 구성원 17명 중 8명이 소프트웨어 엔지니어와 제품 디자이너, 그로스 매니저growth manager로 구성된 제품팀이다. 제품팀은 제품 개발과 사업 성장, 새로운 고객을 모으고 기존 고객을 유지하는 일을 담당한다. 제품팀뿐 아니라 모든 구성원이 데이터 분석 툴 앰플리튜드Amplitude를 기반으로 한 콘텐츠 가격 테스트 등 다양한 실험에 참여한다. 퍼블리에서 데이터 분석가는 곧 실행 담당자로 통한다. 의미 있는 분석 결과는 제품 개선과 가격 정책, 마케팅 전략에 곧바로 반영된다.[16]

퍼블리의 시도에 관심을 가진 건 론칭 첫해인 2016년이다. 퍼블리의 프로젝트가 30개를 막 넘은 때였다. 프로젝트 대부분이 목표 금액을 넘기고, 오프라인 모임까지 매진되는 현상이 신기해, 박 대표를 몇 차례 만나 비결을 물었다.

그로부터 2년 넘게 지켜봐 온 결과, 해답은 박소령 대표의 퍼스널 브랜드에 있었다. 그는 회사를 세운 지 3년도 안 돼, 이 분야의 인플루언서가 됐다. 퍼블리의 성장에는 박 대표의 1인 미디어가 큰 영향을 끼쳤다. 소셜 미디어, 신문 칼럼, 라디오, 강연을 넘나드는 그의 활동을 보면, 조나 페레티 Jonah Peretti 버즈피드 창업자 겸 CEO가 떠오른다. 구글 검색창에 조나 페레티의 이름을 입력하면 1만 개가 넘는 인터뷰와 테크크런치, 리코드 등 각종 IT 콘퍼런스 발표 영상이 나온다.

퍼블리는 영국 잡지 모노클을 여러모로 닮았다. 실제로 박소령 대표는 모노클의 열성 팬을 자처한다. 유료 콘텐츠를 전면에 내세우는 것도, 30대 지식층이 주요 고객인 것도 비슷하다. 이런 '팬심'을 보여 주듯 퍼블리는 2017년 5월 모노클의 미디어 행사를 다룬 시리즈 〈모노클, 미디어를 말하다〉를 발행하기도 했다. 2018년 3월에는 모노클이 한국 특별판을 펴내면서 퍼블리를 소개했다.

박소령 대표 인터뷰 ; "일하는 사람들을 위한 구독 서비스"
박소령 대표는 학부에서 경영학을, 대학원에서 공공정책학을 전공하고 5년간 컨설턴트로 활동했다. 박 대표는 미디어 스타트업을 창업하게 된 계기로 학부 시절 읽은 토머스 프리드먼의 책 《렉서스와 올리브나무》의 한 구절을 꼽는다. "세계를 설명해야 할 저널리스트와 세계를 만들어 가야 할 전략가는 급변하는 시대에 가장 중요한 직업이다." 한때 기자 지망생이었던 그는 미국 유학을 마치고 전략가와 저널리스트가 접목된 일을 찾던 중 기성 언론사에 들어가는 대신 창업을 결심했다.

인터뷰이로 만난 박 대표는 완벽주의자였다. 출간을 앞두고 이메일로 추가 질문을 보냈고, A4 용지 10장 분량의 답변을 받았다. 덧붙여 인터뷰의 모든 코멘트는 2018년 8월 15일을 기준으로 한다고 강조했다. 미디어, 그리고 스타트업의 특성상 한 달이면 많은 것이 바뀔 수도 있다는 설명이 이어졌다. 실제로 퍼블리의 월 유료 구독자 수는 최근 6개월간 3.5배 이상 늘었다. 퍼블리는 앞으로가 더 기대되는 콘텐츠 플랫폼 기업이다.

박소령 대표

퍼블리를 간략히 소개해 달라.

퍼블리는 '일하는 사람들을 위한 콘텐츠 플랫폼'이다. 유료 콘텐츠를 만들고 유통한다. 사업 모델은 월 2만 1900원의 멤버십과 크라우드 펀딩 방식의 예약 구매 두 가지가 있다. 멤버십이 핵심이고, 예약 구매는 멤버십 고객으로 유도하기 위한 유입 경로로 삼고 있다. 예약 구매는 '우리가 이런 콘텐츠를 만들겠다'는 기획안을 올리고 선주문을 받는다. 기획안에는 리포트의 대략적인 내용과 저자 소개, 프로젝트 취지 등이 소개된다. 목표 금액을 달성해야 발행한다.

퍼블리 사업은 어떻게, 왜 시작했나?

인간에게는 여러 욕구가 있는데 향상심도 그중 하나라고 생각한다. 향상심이 강한 사람은 자기 발전을 위해 끊임없이 뭔가를 찾아 나선다. 그런데 국내에는 이들을 만족시킬 수 있는 콘텐츠가 양적, 질적 측면에서 부족하다. 많은 사람이 영어권 콘텐츠를 소비하면서 영어권 콘텐츠 환경을 부러워한다. 나는 단순히 영어권 콘텐츠를 부러워하는 데 머물고 싶지 않았다. 나는 한국 사람이고 내 뿌리는 한국이니까. 우리 세대는 해외 콘텐츠로 눈을 돌릴 수밖에 없지만, 내 다음 세대가 여전히 눈을 밖으로 돌리면서 콘텐츠를 찾아 헤매지 않았으면 좋겠다.

창업 후 3년이 지났다. 퍼블리의 현재를 평가한다면.

2015년 4월 법인 등록을 하고, 2016년 1월 웹사이트를 열었다. 최근 1년 사이 비즈니스 차원에서 가장 많이 바뀐 것은 주력 비즈니스 모델이 더 이상 개별 콘텐츠의 예약 판매가 아니라, 멤버십 기반의 상품 판매가 되었다는 것이다. 현재 매출 포트폴리오에서 멤버십의 비중이 75퍼센트가 넘는다. 일종의 피벗팅(pivoting, 방향 전환)을 했다고도 볼 수 있다.

비즈니스 모델을 멤버십으로 전환한 이유는 뭔가?

흥행 비즈니스의 속성에서 벗어날 수 있기 때문이다. 대박 또는 쪽박으로 갈리는, 그리고 언제 나올지 모르는 대박을 기대하는 그런 구조에 들어가고 싶지 않았다. 이미 예약 구매 프로젝트를 100개 넘게 하면서 경험을 많이 쌓았다. 우리는 넷플릭스, 스포티파이 등 유료 멤버십 콘텐츠 비즈니스를 연구하고, 열심히 벤치마킹한다.

<u>2017년에는 투자 유치 소식이 있었다.</u>

2017년 8월 캡스톤 파트너스, 퓨처플레이, 이노베이스로부터, 2017년 12월에는 미국 실리콘밸리 VC인 500스타트업으로부터 시리즈A 투자를 유치했다. 우리에게 중요한 분기점이었다. VC 투자를 받은 유료 콘텐츠 비즈니스 기업은 거의 없다. 우리를 지지해 주는 VC들을 주주로 모시게 되었고, 이 점이 시장에 주는 메시지가 분명 있었다고 생각한다. 올해 하반기에도 다음 IR(Investor Relations, 투자 유치 활동)을 시작할 예정이라 기대된다.

<u>타깃 독자의 연령대와 직업군은?</u>

30대 중반인 내 나이를 기준으로 위아래 열 살 정도인 20~40대 초반으로, 모바일과 인터넷에 굉장히 익숙하고 유료 지적 콘텐츠에 돈을 지불할 의사가 있는 독자다.

<u>오프라인 모임 후기를 보면 '기꺼이 지갑을 여는' 콘텐츠라는 평이 있다. 퍼블리 독자들의 구매 동기는 무엇일까?</u>

통상 100명의 유료 결제자 중 80명 정도가 리포트만 사고, 20

명은 오프라인 티켓도 구매한다. 저자의 생생한 경험을 원하는 독자가 많다. 그게 오프라인 모임 참가자가 꾸준히 늘어나는 이유 중 하나라고 본다.

가입자 수와 유료 회원 비율은?

사이트 가입자 수는 3만여 명이다. 월 멤버십 유료 고객 수는 2017년 8월 300여 명에서, 2018년 8월 3500여 명으로 늘었다.

크라우드 펀딩 개수와 성공 횟수는 얼마나 되나?

프로젝트 개수는 2018년 8월 기준으로 120개다. 목표액이 달성되지 않았거나 저자의 개인 사정으로 실패 또는 포기한 것은 6개, 콘텐츠로 발행된 것은 102개다. 나머지는 곧 발행 예정이거나, 현재 진행 중인 프로젝트다.

콘텐츠 가격은 어떻게 설정하나?

제작에 들어가는 비용을 산정해서 계산한다. 비슷한 주제의 다른 콘텐츠를 만들었을 때와 비교하고, 분량과 희소성, 저자의 명성 등을 다각도로 고려한다. 리포트와 오프라인 티켓을 합한 평균 단가는 5~10만 원이다. 오프라인 모임에서 저자가 들려주는 '경험 콘텐츠'에 고객들이 어느 정도까지 지불하는지를 계속 실험하고 있다.

반응이 가장 좋았던 프로젝트는?

예약 구매 기간인 약 2개월 동안 1000만 원이 넘은 프로젝트가 15개다. 칸 광고제, 프랑크푸르트 북페어, 브랜드 마케터, 음악 산업 등을 다룬 콘텐츠다.

기억에 남는 프로젝트 두 개를 고르자면?

펀딩 금액이 1000만 원을 넘은 첫 프로젝트인 〈2016 칸 국제 광고제〉를 우선 꼽고 싶다. 기획안만으로 1700만 원 넘게 모금했다. 〈한국 조선업 40년 역사로 읽는 글로벌 경제〉도 기억에 남는다. 펀드 매니저와 주식 애널리스트가 리포트를 쓰고 강연도 했다. 두 저자는 현재 조선업의 위기와 함께 조선업의 40년 역사를 설명해, 기존 언론 보도와 차별화했다.

대부분이 '일work'을 다룬 콘텐츠다.

2017년 하반기부터 일 콘텐츠에 집중하고 있다. 우리는 '일을 더 잘하고 싶다'고 생각하는, 자기 계발에 갈증이 있는 2030 세대에 꾸준히 관심을 두고 있다. 산업·기업·경제 분야의 콘텐츠에 대한 소비자 반응이 확실히 좋은 편이다. 반면 여가·취미·교양 분야의 디지털 콘텐츠는 아직 유료화하기가 쉽지 않은 것 같다. 프로젝트별로 돈이 모이는 규모나 속도를 보면 판단할 수 있다. 여가·취미·교양의 영역인 것 같으면서도 일하는 태도와 삶의 방식에 대한 통찰을 보여 주는 콘텐츠는 계속 만들고 있다. 일종의 '일하는 스타일workstyle'이라는 관점이다. 우리가 좋아하기도 하고, 동시에 멤버십 소비자들의 반응도 좋은 편이다. '케냐 마라톤' 콘텐츠가 한 예다.

초반에는 해외 취재형 콘텐츠를 만드는 데 주력을 했다. 각 산업과 영역에서 가장 유명한 해외 콘퍼런스에 우리와 계약한 저자가 직접 가서, 현장에서 무슨 이야기가 벌어지는지를 '지면의 제한 없이 충분하게', '제너럴리스트가 아닌 업계 전문가가 바라보는 주관을 담아 핵심을 정제해서' 만드는 유료 콘텐츠라면 시장성이 있으리라 생각했다. 이 가설은 적중률이 꽤 높았다.

스톡홀름 소재 대학원의 한국인 유학생이 쓴 스웨덴 스타트업 보고서, 아마추어 러너의 케냐 현지 마라토너 취재기를 인상 깊게 봤다. 기존에 접하지 못한 유의 콘텐츠였다.

우리가 가지고 있던 문제의식 중 하나는 '한국어를 사용하는 한국에 사는 사람'으로서 가지는 아쉬움이었다. 지정학적으로 동북아에 고립돼 있고 언어조차 고립된 한국어를 사용하다 보니, 여기에서 발생하는 폐쇄성이라는 지점이 콘텐츠, 미디어 업계에서 큰 단점으로 부각된다고 생각했다.

프로젝트를 여러 건 진행하면서 발견한 구독자의 구매 패턴이 있다면.

본인이 관심 있는 주제의 예약 구매 프로젝트가 시작되면 재구매율이 높아진다. 동시에 우리가 유도하기도 한다. 고객의 구매 이력 데이터가 있기 때문에, 기존 고객들에게 '당신의 관심을 끌 것 같은 이런 프로젝트를 시작했다'라고 알림 메일을 보내 드린다. 페이스북 리타기팅(retargeting, 특정 사이트 방문자에게만 광고를 노출하는 방식) 광고도 한다.

저자 섭외의 기준은?

퍼블리가 최근 출간한 종이책《브랜드 마케터들의 이야기》의
프롤로그에 쓴 내용을 참고하겠다. 우리가 협업하고 싶은 저
자는 축구로 비유하면 경기장에서 한참 열심히 뛰고 있는 선
수들, 그리고 탁월한 성과를 내고 목표 달성을 할 수 있도록
이끄는 감독과 코칭스태프, 구단이다. 관객이나 비평가가 아
니다. 현장에 발을 담그고 있는 사람들만이 가질 수 있는 고
유한 생각, 경험, 통찰이 고객의 성장을 위한 매력적인 상품
이자 우리 사회의 지적 자본이 될 수 있도록 콘텐츠로 만든다.
저자와 독자의 공감대를 굉장히 중요하게 여긴다. 그래서 가
능한 한 저자와 독자의 연령대를 맞추려고 한다. 우리는 독자
들이 '자신이 모르는 분야에 대한 같은 세대의 지식과 경험'
에 돈을 지불한다고 판단한다. 멤버십 유료 고객의 50퍼센트
가 30대다. 전체 사용자도 비슷할 것으로 추정한다.

저자들은 주로 어떤 연유로 지원하나?

다수가 세 가지를 꼽는다. 본인의 커리어와 평판에 도움이 될
것 같아서, 자신의 경험을 유의미한 기록으로 남기고 싶어서,
그리고 퍼블리가 어떻게 일하는지 궁금해서.

퍼블리의 리포트는 디지털 콘텐츠인데도 구성이 종이 책과 비슷하다.

상품으로서의 완결성에 대한 생각을 많이 한다. 나는 조선일보의 '위클리비즈', 'Why' 지면을 다 본다. 이에 대한 대조군으로 매거진 B를 떠올리게 된다. 위클리비즈를 정독하는 데 한 시간이 조금 안 걸리고, B를 텍스트 중심으로 보면 비슷한 시간이 걸린다. 다만 B는 책꽂이에 꽂아 두고 가방에 넣어 다닐 수도 있는 '완결된 상품'이라는 생각이 드는데, 위클리비즈는 귀한 콘텐츠가 담기는 그릇이 신문이다 보니 값어치가 상대적으로 떨어져 보이는 게 아닌가 하고 종종 생각한다. 디지털도 마찬가지다. 디지털이더라도 소비자가 완결된 상품으로 느끼도록 만드는 것이 매우 중요하다. 그래서 우리는 처음부터 여러 링크가 합쳐진 '하나의 콘텐츠'로 보이는 데 주력했다.

그런 아이디어는 어디에서 얻었나?

출판물에서 많은 영감을 얻는다. 큐레이션을 잘하기로 유명한 강원도 속초의 동아서점, 서울 강남의 최인아책방에서 여러 아이디어를 얻었다. 퍼블리는 초기부터 '디지털 콘텐츠는 왜 수익을 내기 어려운가'라는 고민을 해왔고, URL 형태로 돌아다

니는 온라인 기사는 완성품이라는 생각이 덜 들기 때문'이라는 결론을 도출했다. 퍼블리는 인쇄물에서 해결책을 찾을 수 있다고 믿는다. 그래서 우리는 온라인 콘텐츠에 종이 느낌이 나도록 목차도 넣고, 그래픽 제작에 공을 들인다.

다독가로 알려져 있다. 어떤 콘텐츠를 자주 읽나?

매거진은 모노클, 매거진 B, LS네트웍스가 발행하는 계간지 보보담步步譚, 에스콰이어, 아레나를 즐겨 본다. 해외 유료 디지털 콘텐츠 서비스도 다양하게 써보고 있다. 디 인포메이션 The Information이나 디지데이Digiday, 뉴스픽스 등을 본다. 해외 이메일 뉴스레터 중에서는 더 허슬The Hustle, 뉴욕타임스 딜북 DealBook, 골드만삭스 뉴스레터를 꼽을 수 있다.

2018년 선보일 새로운 서비스와 프로젝트, 행사를 소개해 달라.

올해 새로 선보일 서비스가 따로 있다기보다는 우리의 모든 자원과 팀의 업무 최우선 순위는 멤버십 고객을 늘리는 것이다. 이를 위해 '목표 달성에 직결되는 중요한 일들을 똑똑하고 효율적으로 잘 해낸다'에 초점을 맞췄다. 콘텐츠의 주제는 분기 정도 계획을 잡고 움직이는 편이긴 한데, 아직 잘 모르겠다. 계속 '일'과 '일하는 스타일'에 집중한 콘텐츠를 만들 것 같다. 덧붙여, 파이낸셜타임스와 같은 해외 매체를 번역하는 콘텐츠, 국내 출판사와 언론사와의 제휴를 통한 리패키징 re-packaging 콘텐츠처럼 기존 미디어 업체와 경쟁하는 게 아니라 협업해, 우리 플랫폼에서 이들이 독자들과 잘 연결될 수 있도록 돕는 역할을 하고 싶다.

멤버십 고객 간의 네트워크와 커뮤니티를 우리만의 방식으로 잘 만들어 보고 싶다. 멤버십 고객만 구입할 수 있는 상품들이 있고 앞으로도 늘려 나갈 생각이다. 리퍼럴(referral, 추천형 비즈니스 모델) 프로그램을 시작한 것도 그 일환이다. 항상 한 치 앞을 볼 수 없다고 생각하기에, 계획은 세우지만 유연하게 성장하려고 한다. 올해 미래엔 출판사와 'book by PUBLY'라는 이름으로 여섯 권의 책을 출시할 계획이다. 다른 출판사들과의 협업도 계속될 예정이니 기대해 달라.

간결하게, 스마트하게

폴리티코를 공동 창업한 짐 반더하이Jim VandeHei의 퇴사 계획이 알려진 2016년 1월[17], 수많은 매체가 그의 차후 행보에 주목했다. 폴리티코가 어떤 매체인가. 2007년 출범한 이 정치 전문 매체는 여러 특종과 선거, 입법 관련 분석, 깊이 있는 뉴스레터를 앞세워 불과 몇 년 만에 정상급 미디어로 성장했다. 이제 갓 10년이 넘은 폴리티코의 백악관 브리핑룸 지정석은 USA 투데이, ABC 라디오 등 유력 매체와 열을 나란히 한다.

반더하이는 2017년 1월 인터넷 매체 악시오스Axios를 창간했다. 폴리티코의 창간 멤버인 백악관 전문 기자 출신 마이크 앨런Mike Allen, 로이 슈워츠Roy Schwartz 전 CRO(Chief Revenue Officer, 최고수익책임자)도 창업자 명단에 이름을 올렸다.

"미디어는 고장 났다. 기사는 너무 길고 지루하고, 웹사이트는 혼란스럽다"는 반더하이의 주장을 고스란히 반영하듯 악시오스는 특유의 간결함으로 업계의 주목을 받고 있다. 악시오스의 슬로건은 똑똑함smart과 간결함brevity이다. 우선, 분량이 간결하다. 악시오스 웹페이지를 스크롤하면, 단어 100개 내외의 콤팩트한 본문 일부가 보인다. 모바일에서 보면 한 스크린이 조금 넘는 분량이다. 기사 대부분은 리드와 에디터의 해설인 '왜 중요한가Why it matters'로 시작하는데, 본문 전체를 보려면 '자세히 읽기Go deeper' 버튼을 누르면 된다.

친절하게 남은 분량까지 알려 준다. 악시오스는 아이폰 화면에 최적화되어 있다.

악시오스가 내세우는 스마트함은 '최소의 분량과 최대의 정보'를 지향하는 데서 온다. 악시오스의 기사는 전형적인 스트레이트 기사와는 구성이 조금 다르다. 오히려 보고서에 가깝다. 리드의 요약에 이어 기사의 성격에 따라, 상세 내용The details, 배경Background, 행간Between the lines, 전체 상황The big picture, 수치By the numbers, 결론The bottom line으로 시작하는 단락이 착착 전개된다. 가령 기사 〈Tim Cook: iPhone X is no dud〉의 분량은 단어 236개에 불과하지만, 사안의 핵심을 명확하게 짚는다. 자세히 읽기 버튼을 눌러 전문을 보면 애플의 웨어러블 기기 매출과 중국 시장에 관한 팀 쿡의 낙관적인 전망이 등장한다.

해당 분야의 기사를 더 읽고 싶다면 기사 아래의 태그를 누르면 된다. 이전 페이지로 되돌리거나 홈 버튼을 누를 필요가 없다. 악시오스 콘텐츠는 정치, 테크, 비즈니스, 헬스케어, 과학, 일의 미래, 에너지, 세계 등의 분야로 나뉜다.

뉴스레터는 악시오스가 주력하는 채널 중 하나다. 제작은 폴리티코 시절 뉴스레터 '플레이북'으로 큰 성과를 낸 마이크 앨런이 총괄한다. 악시오스는 14종의 뉴스레터를 제공하고 있는데, 2018년 6월 기준 구독자 수는 30만 명이다. 워싱턴 정가가 악시오스의 아침 뉴스레터 'Axios Am'과 함께 아침을 시작한다는 말도 나온다. Axios Am에는 앨런이 직접 고른 톱뉴스 열 꼭지가 담겨 있다.

악시오스는 론칭 1년 만에 월간 순방문자 수 860만 명, 페이지 뷰 8000만 회를 기록했다.[18] 트래픽의 많은 부분을 차지하는 페이스북 직접 유입은 20퍼센트다.

창간 전 이미 투자금 1000만 달러를 끌어모은 악시오스는 론칭 10개월 만에 2000만 달러를 추가 유치했다. 투자단에는 뉴미디어 전문 투자사 레러 히포 벤처스Lerer Hippeau Ventures를 비롯해, NBC 뉴스, 데이비드 브래들리 애틀랜틱미디어 회장, 스티브 잡스의 부인인 로렌 파월 잡스가 운영하는 자선 단체 에머슨 콜렉티브, 벤처 캐피털 그레이크로프트 파트너스 Greycroft Partners 등이 이름을 올렸다.

악시오스의 주요 수익원은 네이티브 광고다. 론칭 7개월 만에 매출액이 1000만 달러를 넘었다. 창간 1주년이 갓 지난 2018년 2월, 니콜라스 존스턴Nicholas Johnston 편집장에게 악시오스의 주목할 만한 성과를 묻자 그는 "예상을 뛰어넘는 광고 매출"이라고 답했다. 론칭 당시부터 JP모건, 보잉, 펩시, BP 등 쟁쟁한 광고주 열 곳을 거느렸던 악시오스의 안착은 충분히 예상된 결과였다.

axios.com 론칭 전부터 언론은 악시오스의 새로운 광고 방식에 주목했다. 반더하이 CEO가 배너와 팝업 광고, 긴 분량의 네이티브 광고가 더 이상 소비자에게 먹히지 않는다고 여러 차례 공언했기 때문이다. 악시오스가 지난 1년간 선보인 네이티브 광고는 그들의 기사처럼 '똑똑하고 간결'하다.

14개 분야의 뉴스레터 대부분에는 그 분야의 네이티브 광고가 포함된다. 가령 비즈니스 에디터 댄 프리맥Dan Primack이 작성하는 뉴스레터에는 JP모건과 만든 '중소 사업자가 세제 개혁에 관해 알아야 할 다섯 가지'라는 네이티브 광고가, IT 분야 뉴스레터에는 다임러 그룹과 합작한 전기 자동차 관련 콘텐츠가 제공된다. 뉴스레터의 오픈율은 52퍼센트에 달한다.

악시오스가 내세우는 간결하고 똑똑한 기사의 콘셉트는 사실 새로운 게 아니다. 다만 이 매체는 고유의 문법으로 미디어 시장에서 두터운 팬층을 만들고 있다. 악시오스 관계자에게 차별화되는 간결한 뉴스의 특징을 묻자, 몇 가지 수치를 제시했다. 타 매체의 기사를 읽는 데 걸리는 시간이 평균 3.1분인 것에 비해 악시오스 기사 한 꼭지를 읽을 때 걸리는 시간은 27초라는 것. 비슷한 내용의 뉴스를 소비하는 데 2.7분을 아낄 수 있다는 게 악시오스 측의 주장이다.

Smart Brevity 전략은 비디오 콘텐츠에서도 돋보인다. 에디터의 해설을 덧붙인 2분 내외의 영상은 그들의 텍스트 기사처럼 짧은 분량임에도 뉴스의 맥락을 짚는 풍성함을 자랑한다. 2018년 8월에는 미국 케이블 방송사 HBO와 뉴스 다큐멘

터리 제작 파트너십을 맺었다. 11월에 있을 중간 선거를 다룰 이 프로그램은 올해 가을부터 방송할 예정이다.

악시오스에 해설과 분석 기사가 많은 배경은 조직도를 들여다보면 잘 알 수 있다. 콘텐츠 제작 인력 40여 명 중 기자와 에디터의 수가 비슷하다. 에디터를 겸하는 전문 기자가 있는 걸 감안하면 에디터 수가 기자보다 많은 셈이다. 악시오스는 마이크 앨런, 매트 보기Matt Boggie, 알렉시스 로이드Alexis Lloyd, 이나 프라이드Ina Fried 등 정상급 에디터와 전문 기자를 꾸준히 영입하고 있다.

악시오스의 진짜 저력은 취재력에서 나온다. 반더하이와 앨런은 악시오스를 론칭하기도 전에 트럼프 대통령 당선자와의 단독 인터뷰를 성사시켰다. axios.com이 공개되기도 전이었다. 이 밖에 악시오스는 미국의 파리 기후 협정 탈퇴 선언, 우버 최대 투자사인 벤치마크캐피털의 트래비스 칼라닉 창업자 사기죄 고소 등 대형 특종도 냈다.

회사 내부의 평가는 대체로 긍정적이다. 미국 구인 구직 사이트 글래스도어Glassdoor에는 악시오스 전·현직 직원들의 리뷰가 올라와 있다. "악시오스는 익사이팅exciting한 직장", "직원에게 스톡옵션을 지급한다", "직장 문화가 투명하다"는 평이 많다. "스스로 '고게터(go-getter, 성공하려고 단단히 작정한 사람)'라고 생각한다면 이곳에서 살아남을 것"이라는 조언도 눈길을 끌었다. 스타트업 특유의 빠른 성장과 수평적인 조직 문화를 엿볼 수 있다.

물론 좋은 평가만 있는 것은 아니다. 일각에서는 악시오스가 론칭 1년이 지나도록 간결한 사용자 경험 이외의 것을 보여 주지는 못하고 있다고 말한다. 창업자와 소수 스타 기자의 능력에만 기댄다는 비판도 있다.

니콜라스 존스턴 편집장 인터뷰 ; "짧게 쓸 시간이 없어 길게 썼습니다"

미국의 경영 전문지 패스트컴퍼니는 매년 '올해의 가장 혁신적인 기업'을 선정해 발표한다. 악시오스는 창간 1년 만에 미디어 분야에 이름을 올렸다. 1위는 워싱턴포스트, 2위는 창작자 크라우드 펀딩 사이트인 패트리온Patreon이 선정됐다.[19]

론칭 1주년 축하 파티가 열린 2018년 1월, 니콜라스 존스턴 편집장을 인터뷰했다. 창업 멤버인 그는 정치와 비즈니스 분야의 에디터로 활동하고 있다. 분석 기사도 쓴다. 존스턴 편집장은 론칭 전인 2016년 8월 악시오스에 합류했다. 앞서 블룸버그 통신에서 속보와 뉴스레터 제작을 총괄했다. 오바마 정부 당시 2년간 백악관과 미국 의회 취재 기자로 활동했다. 기자 생활은 워싱턴포스트에서 시작했다.

니콜라스 존스턴 편집장

간결함과 스마트함을 추구하는 매체는 이미 많다. 악시
오스는 어떤 차별성을 갖고 있나?

우리의 모든 기사는 아이폰에서 한눈에 들어오는 크기로 제
작된다. '왜 중요한가', '배경', '전체 상황' 등 100단어 미만
의 요약은 악시오스만의 간결하면서도 차별화된 보도다. 자
극적인 제목으로 클릭을 유도하는 낚시성 기사는 일절 없다.
Smart Brevity는 악시오스 저널리즘의 핵심이다. 기사의 양
식뿐만 아니라, 웹사이트 디자인, 뉴스레터, 기자 채용과 교
육 등 모든 것에 Smart Brevity가 적용된다. 우리는 항상 간결

한 정보를 재빨리 전달하는 방법과 독자들을 지혜롭게 하는 방법에 초점을 맞춘다. 공동 창업자를 포함한 모든 구성원이 공감하는 우리 뉴스룸 문화의 일부분이다.

> 악시오스는 북한과 한반도 정세를 많이 보도한다. 기사 분량이 주로 300단어 이내인데, 외교처럼 복잡한 분야를 간결하게 정리하는 게 가능한가. 짧은 분량과 깊이 있는 분석이라는 두 가치는 양립하기 어려울 것 같다.

정치는 악시오스가 다루는 분야 중 하나다. 우리는 정치가 비즈니스, 기술 분야와 어떻게 연계되는지에 관심을 가진다. 악시오스가 고작 200단어 분량의 기사에 담는 정보량을 확인하면 놀랄 것이다. 우리는 기사의 간결함과 정확함에 매우 집중하는데, 적은 분량임에도 많은 정보를 전달할 수 있다. 미국의 오랜 농담 중에 이런 말이 있다. "미안합니다. 짧은 편지를 쓸 시간이 없어서 긴 편지를 썼습니다." 한마디로 짧게 요약해서 쓰는 게 더 어려운 작업이란 뜻이다. 그렇다고 짧은 기사만 내놓는 건 아니다. 긴 분량으로 써야 할 주제와 정보가 있을 때면 그렇게 한다. 우리가 쓴 긴 기사는 독자들에게 또 다른 굉장히 가치 있는 콘텐츠가 될 것이다.[20]

악시오스는 지난 1년간 다양한 실험을 선보였다.

우리가 독자 개발한 Smart Brevity는 복잡한 뉴스라도 핵심을 뽑아내 독자들이 맥락을 파악할 수 있게 해주는 기사 양식이다. 공유 수를 높이는 방식으로 제작된다. 2017년 1월 선보인 이래 성공적이라는 평가를 받고 있다. 일러스트레이션과 차트 등 악시오스 비주얼팀의 기여가 굉장히 크다.

2017년 1월 트럼프 대통령 당선인 인터뷰를 인상적으로 봤다. 제작 과정의 에피소드가 궁금하다.

짐 반더하이 CEO와 마이크 앨런 수석 에디터가 인터뷰를 주도했다. 당시 악시오스는 제대로 된 홈페이지조차 갖추지 않은 상태였다. 반더하이와 앨런은 "트럼프는 우리가 선거 기간 동안 봐온 모습대로였다"라고 인터뷰 당시를 회상했다. 자기 이름이 적힌 빌딩을 여러 채 보유한 70대 억만장자는 앞으로도 절대 바뀌지 않을 것이다. 트럼프는 실제로 언론에 보도된 모습 그대로다. 악시오스 인터뷰 기사는 트럼프 대통령의 취임식 이후 나왔다.

이방카 트럼프를 인터뷰하는 마이크 앨런 공동 창업자 겸 수석 에디터

직원 규모와 직군별 구성은 어떻게 되나?

2018년 2월 기준 100명이 조금 안 된다. 이 중 3분의 1 이상
이 뉴스 제작에 관여한다. 우리는 각 분야의 특출한 전문가를
채용하고 있다. 테크 분야의 이나 프라이드, 경제의 댄 프리
맥과 같은 스타 기자가 악시오스에서 활약하고 있다. 우리 에
디터들은 각 분야에 독보적인, 방대한 경험을 갖고 있다. 데
이비드 네이더David Nather는 헬스케어 분야에서 여러 권의 책
을 출간했고, 킴 하트Kim Hart는 정부 기관과 기술 회사에서 수
년간 일했다. 우리는 늘 각 분야의 최고 전문가를 영입하려고
한다. 기자들뿐 아니라 디자이너, 개발자 등 전 분야에 해당

된다. 악시오스의 성공은 훌륭한 인재를 채용할 때 가능하다는 것을 우리는 알고 있다. 올해 연말까지 직원 수를 150명으로 늘릴 계획이다.

폴리티코 공동 창업자 셋의 또 다른 창업으로 주목을 받았다.

그렇다. 두 매체 모두 정치 분야가 메인이지만, 보도 범위를 들여다보면 많이 다르다. 악시오스의 창간 준비 단계부터 지금까지 가장 중요한 건 독자가 효율적으로 뉴스를 소비하도록 돕는 것이다. 폴리티코와 악시오스의 특성은 확연히 구분된다.

반더하이 CEO는 악시오스 론칭 초기부터 "뉴욕타임스 같은 월 20달러 내외의 구독 모델이 아닌, 연 1만 달러짜리 프리미엄 서비스를 구상 중"이라고 공공연히 말했는데, 2017년 9월 브랜드 구축에 집중하겠다는 이유로 계획 연기를 발표했다. 유료 콘텐츠 서비스 계획을 알려 달라.

일단 악시오스를 사용하기 시작하면 고객들이 우리 콘텐츠를 좋아하게 되고, 언제든 다시 올 것이라는 걸 알기 때문에 그런 결정을 내렸다. 악시오스는 콘텐츠 유료화와 광고, 비즈니스 이벤트를 연계해서 하나의 서비스로 여긴다. 첫해의 광고 실적이 굉장히 성공적이었고 당분간 광고에 집중하기로 했다. 유료화 모델은 적절한 시기에 출시할 예정이다.

악시오스는 200여 명으로 구성된 외부 기고자 네트워크를 공개했다. 필진에는 이스라엘 저널리스트 바락 라비드Barak Ravid, 중국 전문가 빌 비숍Bill Bishop 등이 포함됐다. 외부 전문가 기고는 허프포스트Huffpost나 포브스Forbes 등 기존 언론이 해온 오래된 방식인데, 이 서비스를 출시한 배경은 무엇인가?

자사 기자의 기사든 외부 기고자의 칼럼이든, 우리의 목표는 독자에게 가장 중요하고 가치 있는 정보를 제공하는 것이다. 다만 우리는 필진을 확대하는 것보다, 해당 이슈에 대한 최적의 정보 제공자를 발굴하는 데 집중한다. 기고자 네트워크를 확대하고, 바락과 빌과 같은 훌륭한 저널리스트와 협력하는 것은 독자를 더욱 빨리 스마트하게 하는 방법이다.

**2016년 1000만 달러, 다음 해에는 2000만 달러를 투자
유치했다. 비결이 있나?**

딱히 없다. 뉴미디어 회사를 어떻게 세울 것인지, 목표를 어
떻게 실행할 것인지에 대한 방법과 열정, 그리고 회사의 강력
한 철학이 있어야 한다.

2018년 악시오스가 선보일 서비스를 소개해 달라.

올해 초 '악시오스 월드Axios World'를 론칭했다. 매우 기대되는
서비스다. 악시오스 월드는 악시오스 Smart Brevity의 보도
취재 범위를 국제 관계와 지정학으로 확대한 서비스다. 악시
오스는 외부 전문가의 뉴스레터와 국제 분야 기고도 확대했
다. 이것이 올해 그리고 앞으로 악시오스가 선보일 내용이다.

라이프 스타일을 판다

모노클은 2007년 2월 창간한 영국의 월간지다. 탄생 배경에는 공항 서점에 얽힌 일화가 있다. 창업주인 캐나다 출신 저널리스트 타일러 브륄레Tyler Brûlé는 10여 년 전 공항 서점에서 이코노미스트The Economist와 GQ를 놓고 고민하는 손님을 보면서 이런 아이디어를 떠올렸다. '두 매거진의 특징을 합한 매거진을 만들면 어떨까?' 국제 정세, 비즈니스, 문화, 디자인, 라이프 스타일 등 다양한 분야를 다루는 모노클은 이렇게 탄생했다.

　A(Affairs, 국제 정세), B(Business, 비즈니스), C(Culture, 문화), D(Design, 디자인), E(Edits, 라이프 스타일), 다섯 개의 카테고리로 이뤄진 모노클의 성격을 하나로 정의하기는 어렵다. 모태가 된 이코노미스트와 GQ의 고객층을 모두 끌어안겠다는 브륄레의 포부대로 모노클의 주 독자는 금융, 공공 정책, 학계, 미디어, 트렌드, 여행 업계의 종사자이며 성별은 남성이 70퍼센트에 달한다.

　매호 평균 발행 부수는 8만 4000부, 정기 구독자는 1만 9500명이다. 판매 부수가 높은 상위 열 개 시장은 미국, 영국, 호주, 캐나다, 싱가포르, 독일, 홍콩, 포르투갈, 프랑스, 이탈리아 순이다. 최근에는 동남아시아 시장이 급부상하고 있다. 밀라노, 파리, 방콕, 보고타 등 세계 각지에 30여 명의 통신원이 있으며 뉴욕, 도쿄, 홍콩, 취리히, 토론토에 지국이 있다. 2018년에 로스앤젤레스와 방콕 지국이 문을 열 예정이다.

모노클 매거진은 7, 8월과 12, 1월호가 통합본으로 제작돼 매년 10권이 발행된다. 1년 정기 구독료(100파운드·약 14만 8000원)가 낱권(7파운드·약 1만 3000원) 10권을 합한 가격보다 비싸다. 통상 잡지를 정기 구독하면 30~50퍼센트 할인 혜택을 주는 것과 정반대 전략인데, 정기 구독자 수가 매년 늘고 있다. 그 비결은 철저한 차별화에 있다. 1년 정기 구독자에게는 올해의 트렌드를 전망하는《The Forecast》와 여행 가이드인《The Escapist》까지 12권이 배송된다. 모노클이 주최하는 비즈니스 클럽과 이벤트 초대권, 모노클이 자체 제작한 토트백도 제공된다.

"미디어의 미래는 종이 콘텐츠에 있다"는 브륄레의 호언대로 모노클은 프린트 퍼스트print first 전략을 고수한다. 2017년 8월부터 여름과 겨울에 주간 신문을 발행하고, 요리 서적, 경영서, 여행 가이드 등 내놓는 종이 제품마다 호평이 이어진다. 2009년부터는 리테일 비즈니스를 시작해 런던과 도쿄 등지에 모노클 매거진과 관련 상품을 파는 매장과 카페를 운영하고 있다. 의류와 가구, 가전제품 회사와 협력한 상품도 만날 수 있다.

2011년에는 24시간 방송하는 디지털 라디오 '모노클 24'를 론칭했다. 수많은 매체들이 팟캐스트에 뛰어들었던 당시, 왜 라디오였을까. 모노클은 진성 독자가 언제 어디서나 고급 콘텐츠를 소비하게 할 방법을 연구한 결과, 라디오라는 해법을 찾았다고 한다. 모노클 24는 UBS, 루프트한자, 알리안츠 등 글로벌 기업을 광고주로 두고 안정적인 수익을 올리고 있다. 월간 청취자 수는 100만 명이 넘는다.

모노클은 모든 분야에서 '마이 웨이'를 고수한다. 세계 유수의 미디어 기업들이 디지털 퍼스트를 외치며 뉴스룸을 혁신하고 있지만 모노클은 서두르지 않는다. 2016년 CNN과 쿼츠, 뉴욕타임스가 앞다투어 인공지능 챗봇을 도입하며 하이테크 기술을 자랑할 때, 모노클은 고유의 방식으로 고객과의 유대를 키우는 데 집중했다. 모노클 홈페이지에서는 직원과 실시간 채팅이 가능하다. 지난해 "모노클 트래블 가이드의 서울편도 나올 예정이냐?"고 묻자 담당 직원은 즉각 "2018년 봄으로 예정돼 있다"고 답했다. 언젠가 주소가 바뀐 뒤 매거진이 배송되지 않아 모노클 공식 계정으로 문의 메일을 보냈다. 고객 관계 관리CRM·Customer Relationship Management 담당 직원은 신속한 회신과 함께 모노클 아카이브의 온라인 콘텐츠를 볼 수 있는 방법을 상세하게 설명해 줬다. 모노클의 프리미엄 전략은 콘텐츠뿐 아니라 독자 서비스에도 적용된다는 것을 느꼈다.

소셜 미디어 운영에도 크게 신경 쓰지 않는다. 대부분의 매체가 인스타그램, 페이스북 소통에 힘을 쏟는 것과 달리 모노클은 이메일 뉴스레터 'The Monocle Minute' 외에 독자와의 소통을 위한 소셜 미디어 활동을 하지 않는다. 창간 멤버인 앤드루 턱Andrew Tuck 에디터에게 이유를 묻자 그는 "우리가 왜 (경쟁자인) 그들을 도와야 하느냐?"고 반문했다.

모노클의 프린트 퍼스트 전략은 이코노미스트의 운영 방식에 기반을 둔 것으로 보인다. 우직함을 넘어 거만하기까지 한 이코노미스트의 마케팅 전략과 상당 부분이 닮았다. 두 매체 모두 종이 제품 의존도가 매우 높다. 온라인 콘텐츠에는 하이퍼링크조차 없는 경우가 태반이고 업데이트도 자주 하지 않는다. 미디어 기업가인 존 바텔John Batelle이 2006년 이코노미스트의 온라인 운영 방식에 대해 "오늘날의 뉴스 생태계에서는 자신을 대화와 단절시키는 행위가 가장 큰 죄악"이라고 경고했지만, 인쇄 산업 역사상 최악의 해로 꼽히는 2009년 이코노미스트의 수익은 오히려 6퍼센트 성장했다. 그해 광고 수익과 영업 이익은 모두 25퍼센트 이상 증가했다.[21]

모노클은 창간 7년 만에 1억 1500만 달러(약 1240억 원) 가치의 회사로 성장했는데, 매출의 20~25퍼센트를 차지하는 네이티브 광고가 결정적 영향을 미쳤다. 모노클 본문의 10퍼센트 정도를 차지하는 네이티브 광고는 콘텐츠 소비에 방해가 되지 않는다. 2018년 5월호(113호)에 실린 무인 자동차 관련 네이티브 광고는 아우디와 합작해서 만들었다. 마블 코믹스를 연상시키는 만화와 인터뷰 형식으로 제작돼 눈길을 끌었다.

다만 정치적·사회적으로 파급력 있는 기사가 적은 건 아쉬운 부분이다. 그런 의미에서 모노클은 '보는 잡지'에 가깝다. 한 권을 다 보고 나서도 종종 '커버스토리가 뭐였지'라는 생각이 드는 건 모노클이 깊이 있는 분석보다는 트렌드를 소개하는 데 치중하기 때문이라고 생각된다. 같은 맥락에서 개별 기자들의 명성이나 영향력도 크지 않다. 2011년 모노클 24 라디오를 시작하고 나서야 독자들이 모노클의 필진에 대해 친근감을 느끼기 시작했다는 앤드루 턱 에디터의 말이 이를 방증한다.

국내 독자들 사이에서는 모노클의 '왜색'에 대한 불편한 시각도 있다. 2014년 9월 일본 닛케이가 1000만 달러를 투자해 모노클의 지분 일부를 매입한 이후 일본풍의 디자인이나 콘텐츠를 반영하는 경향이 더욱 짙어졌다.[22] 디자인팀의 구성원은 대부분 일본인이다. 런던 본사의 이름인 미도리 하우스의 미도리는 일본어로 초록색을 뜻한다. 모노클 카페에서는 일본식 녹차인 말차抹茶 디저트를 판매하기도 한다. 창업자인 브륄레가 개인적으로 일본 문화를 선호하는 것과 연관이 있어 보인다.

앤드루 턱 에디터 인터뷰 ; "종이의 특성을 최대한 활용한다"

인스타그램에서 해시태그 #monocle을 검색하면 모노클 매거진 외에도 각종 리테일 상품, 모노클 숍, 모노클 카페를 찍은 사진 12만 개가 나온다. '라이프 스타일 기업' 모노클의 단면이 고스란히 드러난다. 모노클 트래블 가이드를 들고서 스톡홀름, 멜버른, 교토, 멕시코시티 등 현지에서 '인증샷'을 남긴 포스팅도 여럿 보인다. 나온 지 수년이 지난 모노클 매거진의 과월호 사진도 심심찮게 올라온다. 모노클 매거진의 독자뿐 아니라 여행객, 커피 애호가, 패션 디자이너들은 저마다의 이유로 이 매거진의 팬임을 자처한다. 라이프 스타일 기업 모노클은 브랜드를 넘어, 하나의 문화가 됐다.

모노클은 어떤 철학과 비즈니스 전략을 가지고 있을까. 그 이유가 궁금해 앤드루 턱 에디터에게 연락했다. 앤드루 턱 에디터는 2007년 모노클의 창간 멤버로 합류했다. 모노클 24 라디오의 운영과 각종 행사를 총괄하며 잡지 발행은 물론 단행본과 여행 가이드북 출판 관리 등 다양한 업무를 담당하고 있다. 모노클에 합류하기 전에는 영국 일간지인 인디펜던트 The Independent에서 기자로 일했다. 한국 독자들을 위한 소개를 부탁하자 그는 말미에 "커피를 아주 많이 마신다. 정신없이 바쁘다"는 말을 덧붙였다. 위트가 있고 인터뷰어를 배려하는 사람이라는 느낌을 받았다.

모노클의 창간 멤버다. 합류하게 된 과정이 궁금하다.

창업주인 타일러 브륄레와 20대 시절부터 알고 지냈다. 2007
년 어느 날 저녁을 먹던 중 그가 매거진 창간 계획을 알려 줬
다. 그때는 Project Europa라는 이름의 구상 단계로 모노클을
론칭하기 전이었다. 브륄레는 나에게 에디터 자리를 제안했다.
당시는 많은 사람들이 매거진은 끝났다고 생각하던 때였다.

앤드루 턱 에디터

모노클의 비즈니스 전략은 무엇인가?

우리는 유료 콘텐츠 제작에 주력하며 '빠른 승리'를 추구하지 않는다. 무엇이든 대충하는 법이 없다. 도시 행정에서부터 우수한 비즈니스를 진행하는 방법까지 세상에 존재하는 어떤 것도 저평가하지 않는다. 세상에는 많은 콘텐츠가 있지만 이를 소개하는 적절한 형태의 저널리즘은 부족하다. 너무나 많은 사람이 기존에 존재하는 콘텐츠를 베낀다. 우리는 다양한 실험을 통해 고유의 방식을 찾기 위한 노력을 지속해 왔고, 일정 수준의 성공을 거뒀다.

그동안 발행한 매거진 중 최고의 한 호를 꼽는다면.

모든 매거진이 베스트셀러에 올랐지만 굳이 하나를 꼽자면 대부분의 섹션을 새롭게 디자인했던 10주년 특별판(101호)을 택하겠다. 꾸준한 진화를 추구하는 것의 중요함을 보여 준 호라고 생각한다. 본문에는 에마뉘엘 마크롱Emmanuel Macron 프랑스 대통령, 마르셀루 헤벨루 지 소자Marcelo Rebelo de Sousa 포르투갈 대통령, CNN의 간판 앵커 할라 고라니Hala Gorani와의 인터뷰 등이 실렸다.

2018년 3월 문재인 대통령, 김정숙 여사와의 인터뷰가 실린 한국 특별판을 냈다. 한국의 어떤 점을 눈여겨봤나?

모노클은 꾸준히 한국에 주목해 왔다. 창간 첫해에 케이팝K-pop을 커버스토리로 다뤘다. 최근호에는 한국의 패션, 음식, 건축, 예술 분야를 담았다. 서울의 도시 재개발은 환상적이다. 세계가 문재인 대통령의 행보를 관심 있게 지켜보고 있다. 더불어 한국은 평창올림픽을 개최했다. 한국은 '속성 국가Fast-Track Nation'다. 서울시의 에너지 정책, 커피 브랜드, 한글 서체 디자인, 식사 예절 등 정책과 기업, 라이프 스타일을 두루 취재했다.

디지털 미디어의 저변이 급속도로 넓어지고 있다. 이런 환경에서 종이 매체가 할 수 있는 건 무엇일까?

인쇄물은 '럭셔리'하게 구성할 수 있다는 것이 최대의 장점이다. 촉각적 경험을 안겨 주며 우아한 사진으로 디자인에 미적 감각을 더할 수 있다. 종이로 발간된 매거진은 디지털에서는 경험할 수 없는 특별한 무언가를 제공한다. 인쇄물의 활자는 제작자의 헌신, 책무와 숙고를 드러낸다. 저널리즘을 위해 필요하다면 디지털을 활용하는 것은 하나의 방법일 것이다. 다만 우리는 종이 매거진의 가치를 고수하고 일관성을 유지하기 위해 종이의 특성을 최대한 활용하려고 한다.

> 독자들이 적지 않은 연간 구독료를 기꺼이 지불하게 만드는 비결은 무엇인가?

모노클은 고유의 저널리즘을 추구하는 독자적인 기업이다. 독자들이 모노클을 선택하는 이유다. 모노클은 매월 8만 4000부를 발행한다. 이 중 1만 9500부가 정기 구독이다. 전 세계 모든 구독자에게 똑같은 구독료를 받는다(정기 구독 시 해외 배송료가 없다). 수익을 위해 구독자 수를 늘릴 계획은 없다. 그런 방식을 추구하면 결과적으로 수익을 내지 못한다는 것이 우리의 판단이다.

> 기사와 광고의 구분이 모호하다거나 기사가 친절하지 않다는 지적이 있다.

브랜드 관련 콘텐츠는 수익의 중요한 원천이다. 기사와 광고, 두 가지 콘텐츠 모두 모노클의 저널리즘을 만드는 필수 요소다. 우리는 스스로 자랑스러워할 작품을 만들어야 한다고 생각하고 이에 집중한다.

모노클은 2017년부터 주간 신문《The Summer Weekly》와《The Winter Weekly》를 발간하고 있다. 월간지 외의 종이 콘텐츠를 꾸준히 낼 계획인가?

그렇다. 위클리판은 2018년에도 계속 선보일 계획이다. 깊이 있는 기사와 에세이, 훌륭한 사진을 제공할 것이다. 우리는 종이 신문의 미래를 믿는다.

2011년부터 24시간 디지털 라디오 방송국 모노클 24를 운영하고 있다.

라디오를 출범한 이유 중에 하나는 우리가 살짝 미쳤다는 것이다. (웃음) 사실 라디오는 모노클에게 거대한 도약이었다. 우리는 라디오 방송에 수요가 있을 것이라고 판단했다. 스폰서를 유치하고 콘텐츠의 질에 집중할 수 있는 것도 라디오의 장점이다. 인상적인 부분은 라디오가 매거진의 변화에 영향을 줬다는 것이다. 라디오를 진행하면서 독자들과 청취자들이 비로소 우리의 에디터들을 '아는 사람'으로 인식하기 시작했다.

영국 런던 메릴본 지역에 위치한 모노클의 본사 미도리 하우스

최근 오디오 콘텐츠가 주목을 받고 있지만, 모노클의
라디오 출범은 맥락이 조금 다른 느낌이다. 종이, 라디
오 등 낡은 것으로 여겨지는 매체만 고집하고 있다. 특
별한 이유가 있는가?

모노클이 아날로그만 고집하는 건 아니다. 모노클 24는 100
퍼센트 디지털 방식의 라디오다. 앱뿐만 아니라 팟캐스트에
서도 들을 수 있다. 모노클의 웹사이트에서는 550개 이상의
디지털 영상을 무료로 볼 수 있다.

소셜 미디어에 소극적인 이유는 뭔가?

내가 오히려 묻고 싶다. 왜 우리가 그들을 도와야 하나? 우리는 트위터, 페이스북, 인스타그램을 라이벌로 여긴다.

전통적인 미디어의 거의 대부분이 소셜 미디어를 적극 활용한다. 이용자 유입 경로를 다각화하는 도구로 활용할 수도 있을 텐데.

우리는 인스타그램, 페이스북, 트위터 계정이 없다. 매거진을 종이로 읽도록 이끄는 게 모노클의 방식이다. 무언가를 읽는다면 인쇄물이 최고다.

모노클은 매년 60회 이상의 외부 행사를 개최한다. 행사를 여는 궁극적인 목적은 무엇인가?

모든 행사는 모노클의 진정성 있는 브랜드 가치를 높이기 위해 기획된다. 어떤 행사는 무료지만 적지 않은 수익을 올리는 행사도 있다. 외부 행사는 매거진이나 상품, 단행본 판매는 물론이고, 콘텐츠 전반에 좋은 영향을 미치는 중요한 커뮤니티를 구성할 수 있는 기회다.

하버드대 저널리즘 연구소인 니먼랩이 2018년 초 "다수의 미디어 기업이 자체 제작 상품을 판매할 것"이라는 전망을 내놨다. 자연스럽게 모노클 숍이 떠올랐다. 굿즈 매출이 전체 매출에서 차지하는 비율은 얼마나 되나?

구체적인 액수를 밝히기는 어렵지만 모노클의 리테일 사업은 매출에 꽤 큰 영향을 미친다. 그렇지만 굿즈는 단순히 매출을 올리는 수단에 그치진 않는다. 우리는 모노클 매거진이 추구하는 가치와 부합하는 브랜드와 제휴를 맺고 사업을 진행한다. 장인의 기량과 품질, 완성도를 중시하는 업체나 지역 사회에 공헌하는 기업들과 협업한다. 이는 우리가 콘텐츠 제작에서 추구하는 가치이기도 하다.

모노클은 잡지, 미디어를 넘어 하나의 문화 현상이 되었다. 한국에도 수많은 미디어가 있지만 라이프 스타일 전반을 상징하는 매체는 드물다. 모노클의 브랜드 철학이 궁금하다.

모노클 사업의 중심에는 늘 매거진이 있다. 인쇄 브랜드에 꾸준한 수요가 있다는 믿음이 우리 브랜드 전략의 핵심이다. 모노클의 성공은 모두 독자들에게 달려 있다. 광고주, 협력사의 지원도 매우 중요하다.

오직 영어로만 발행한다. 한국을 비롯해서 글로벌 수요
가 상당할 텐데, 영어판을 고집하는 특별한 이유가 있
나? 다른 언어권으로 발행할 계획은 없나?

독자의 대다수가 평상시에, 출장 중에, 여행 중에 영어를 구
사하기 때문이다. 영어라는 한 가지 언어로 콘텐츠를 제작함
으로써 모두에게 같은 스토리를 전달할 수 있다. 그래서 우리
는 타임이나 뉴스위크처럼 아시아판, 유럽판 구분 없이 한 가
지 버전만 제작한다.

북저널리즘

책처럼 깊이 있게, 뉴스처럼 빠르게

"저널리즘이 우리에게 제공하는 정보는 혼란스러우리만치 뒤죽박죽이다. 이는 저널리스트가 잘 숙고된 심리적 의제에 따라서가 아니라 출판, 영화, 미술관 산업의 홍보 계획에 따라 보도의 우선순위를 정하는 성향을 갖고 있어서다." (알랭 드 보통《뉴스의 시대》중)

2014년 작가 알랭 드 보통은 저널리즘에 '중병' 진단을 내렸다. 4년이 지난 지금도 그의 주장은 유효하다. 여전히 많은 뉴스가 대중의 불안을 무책임하게 양산하고, 선정적인 보도로 눈길을 빼앗는다.

알랭 드 보통의 저작이 처방에 그친 것과 달리, 실제 '집도'에 나선 출판 스타트업이 있다. 2017년 2월 북저널리즘book journalism을 론칭한 스리체어스threechairs가 그 주인공이다. '책처럼 깊이 있게, 뉴스처럼 빠르게' 지적 콘텐츠를 전달하겠다는 북저널리즘은 웹사이트에 게재한 비전을 통해 저널리즘 소비 문화를 새로 정의한다.

"얼리어답터들은 기계적 중립에 갇힌 반쪽짜리 정보를 원하지 않습니다. 이제는 사실만이 아니라 사실을 바탕으로 축조한 인식 틀과 세계관을 제시해야 합니다. 정보 나열에서 분석과 의견으로 넘어가야 하는 이유입니다."

북저널리즘은 책과 뉴스 사이에 있는 콘텐츠다. 책의

깊이와 뉴스의 속도를 지향한다. 2018년 8월까지 종이와 디지털로 34종의 콘텐츠를 발행했다. 발행물의 성격은 정의하기 어렵다. "분량이 짧으면 기사, 길면 책, 날마다 나오면 일간지, 월마다 나오면 월간지라는 구분은 요즘 독자들에게 어떤 효용도 가져다주지 않는다. 발행 방식이나 주기, 분량이 아니라 이용자의 니즈와 이용 형태에 따라 구분해야 한다"는 것이 이연대 대표의 설명이다.

북저널리즘은 종이책으로 시작해 최근 디지털 콘텐츠로 영역을 넓혔다. 먼저 나온 종이책은 시장의 반응이 뜨겁다. 《검사는 문관이다》, 《넷플릭스하다》, 《레전드는 슬럼프로 만들어진다》, 《합니다, 독립술집》, 《차이나 핀테크》, 《노동 4.0》 등 발간물 9종이 베스트셀러에 올랐다. 3쇄를 찍은 책도 여러 종이다.

2018년 5월 말에 론칭한 디지털 플랫폼은 아직 성과를 논하기 이르지만, 눈에 띄는 새로운 시도들이 엿보인다. 종이책으로 발행된 콘텐츠를 디지털화한 것도 있지만, 디지털 전용 콘텐츠도 시도하고 있다. 북저널리즘은 자사의 디지털 전용 콘텐츠가 '미드(미국 드라마) 분량'임을 강조한다. 대부분의 텍스트 콘텐츠가 아주 짧거나 아주 긴데, 20분 내외의 부담 없는 분량이 다른 미디어와 차별화되는 지점이라는 것. 독자가 길지 않은 시간을 들여서, 깊이 있는 이해를 할 수 있도록 하기 위함이라는 게 북저널리즘의 설명이다. 지적 콘텐츠 중에서 저런 분량만을 특화하여 펴내는 곳은 드물다.

매주 금요일 오후 4시, 나의 편지함에는 '새터데이 에디션Saturday Edition'이라는 이메일이 도착한다. 2017년 4월부터 지금까지 68호가 발행되었다. 6000자 분량의 인터뷰가 담긴 이 뉴스레터는 신문사 기자가 아닌, 북저널리즘 에디터가 쓴 '기사'다. 언론이 받아쓴 단독 인터뷰도 여럿이다. 우윤근 주러시아 대사, 장강명 작가, TV 리얼리티 쇼 〈효리네 민박〉을 연출한 마건영 PD, 모노클의 한국 특별판을 만든 제임스 챔버스 홍콩 지국장 등 신문의 종합, 문화면을 장식할 만한 인사들이 이 출판사의 실험에 동참했다. 북저널리즘 에디터는 기획과 편집뿐 아니라 취재와 기사 작성까지 한다.

북저널리즘은 일간지와 단행본, 주간지, 월간지의 벽을 허문, 새로운 시도를 선보이고 있다. 깊이와 시의성을 갖춘 심층 리포트를 1년 내 월 20개씩 발행하겠다는 이 대표의 포부를 듣고 가장 먼저 든 생각은 '저자 수급은 어떻게 하지'였다. 이에 북저널리즘 제작진은 '전문가의 기자화'를 내세운다. 저자도 에디터도, 북저널리즘에서는 기자다. 책보다 빠르고 뉴스보다 깊이 있는 콘텐츠를 지향하는 브랜드 콘셉트에 걸맞다. 이 스타트업의 퍼포먼스를 그저 언론사 베끼기로 보기엔, 신문의 그것과 성격이 다르다.

북저널리즘은 '저널리즘의 뿌리가 책에 있다'는 오래된 명제를 꺼내 들고 2017년에 등장했다. 디지털 시대의 저널리즘은 속도는 빨라졌지만 깊이는 아쉽다. 반면 책은 너무 두껍다. 북저널리즘은 짧게는 20분, 길게는 2시간이면 완독할 수 있는 콘텐츠를 제공한다. 최근 공개한 웹사이트에는 리딩 타임을 표기해 디지털 콘텐츠에서도 두께감을 느끼도록 도왔다. 최근에는 프리 시리즈A 투자를 유치하고 플랫폼 확장에 나서고 있다.

　　이런 성과를 증명하듯, 북저널리즘은 올해 8월 197년 역사의 영국 일간지 가디언The Guardian과 파트너십을 맺었다. 이 매체는 전 세계에서 이용자 수가 가장 많은 영어 뉴스 사이트를 보유하고 있다. 앞서 6월에는 영국의 4대 일간지 중 하나인 인디펜던트와 손을 잡았다. 두 매체 모두 국내 미디어 회사와의 협업은 이번이 처음이다.

　　내 시선을 끈 콘텐츠는《버닝맨, 혁신을 실험하다》,《레전드는 슬럼프로 만들어진다》이다. 버닝맨은 매년 8월 미국 네바다주 블랙록 사막에서 열리는 축제다. 《버닝맨, 혁신을 실험하다》는 일종의 르포 기사다. IT 전문가인 저자가 직접 버닝맨 축제에 참가해 열흘간 허허벌판에서 조형물을 태우고 수만 명의 괴짜들과 어울린 경험을 집필했다. IT 전문가답게 버닝맨과 일론 머스크, 구글, 실리콘밸리를 한데 엮은 자신만의 관점을 제공한다.

《레전드는 슬럼프로 만들어진다》는 한국 야구를 대표하는 선수 네 명을 분석한 인터뷰집이자 경영서, 심리서다. 개인적으로 북저널리즘 시리즈 중 첫째로 꼽는 콘텐츠다. 내용 전개와 필력은 물론이고, 심리학을 전공하고 야구 선수의 멘탈을 연구한 전문성, 한국야구위원회KBO 산하 야구발전위원회의 위원 활동 경력까지, 저자의 '30년 야구 덕력'을 엿볼 수 있다.

이연대 대표 인터뷰 ; "WORTH TO READ보다 MUST READ를 지향한다"

북저널리즘은 2018년 7월 월 유료 이용자가 2300명을 넘어서며 순항하고 있다. 온라인과 오프라인 독자를 합한 수치다. 분기별 성장률은 최근 4분기 평균 43퍼센트. 미디어, 특히 출판의 업황을 고려하면 주목할 만한 성과다. 이연대 스리체어스 대표에게 그 비결을 묻자 "고급 정보와 깊이 있는 뉴스에 대한 수요는 항상 있었다. 소비자의 지속적인 요구, 기존 공급자의 무관심, 고객의 요구를 충족하는 역량이 결합할 때 새로운 독점 공간이 열린다고 판단했다"고 답했다.

이연대 대표를 처음 만난 것은 2017년 7월이었다. 북악산과 북한산 사이에 위치한 단층 사무실이었다. 스리체어스는 해가 바뀌고 팀원이 늘면서, 인왕산 자락으로 자리를 옮겼

이연대 대표

다. 앞서 이어령 초대 문화부 장관, 이문열 소설가, 김범수 카카오 의장 등 내로라하는 거장들과의 인터뷰집을 펴낸 이 대표는 인터뷰 내내 펜을 놓지 않았다. 그러고는 주말이 채 지나기 전에 장문의 이메일을 보내와 의견을 더했다.

> 북저널리즘이라는 새로운 용어를 제시했다. 어떤 뜻인지 설명해 달라.

북저널리즘은 북book과 저널리즘journalism의 합성어다. '책처럼 깊이 있게, 뉴스처럼 빠르게' 우리가 지금, 깊이 읽어야 할 주제를 다룬다.

책과 뉴스를 결합한 개념인데, 둘의 어떤 장단점에 주목했나?

먼저, 뉴스는 시의성이 있지만 깊이가 부족하다. 뉴스 이용자들은 '믿고 읽을 만한 뉴스가 없다', '맥락과 배경까지 깊이 알기 어렵다'고 말한다. 반면 책은 깊이가 있지만 시의성이 부족하다. '책은 언제 읽어도 그만이다', '지적 호기심은 있지만 책을 찾아서 읽자니 과하다'는 의견이 많다. 그래서 우리는 책의 깊이와 뉴스의 시의성을 두루 갖춘 콘텐츠를 펴내기로 했다.

디지털 퍼스트를 내세우는 다른 미디어 스타트업과 달리, 출판이라는 전통 산업에서 출발했다.

북저널리즘으로 피벗팅하기 전까지 출판업에서 쌓아 온 경험이 있었다. 우리가 지닌 고유한 자산을 활용하기 위해 종이책부터 시작했다. 시장 규모 면에서도 현 시점에서는 종이책이 유리하다고 판단했다. 한국보다 전자책이 보편화된 미국에서도 전자책은 전체 시장의 20퍼센트를 넘지 않는다. 최근 디지털 버전을 론칭했지만, 종이라는 매체는 다양한 형태로 계속 활용할 계획이다. 이용자의 니즈와 이용 형태와 일치한다면 타블로이드판이나 브로슈어 형태로 낼 수도 있다. 한두

가지 컨테이너에 종속되고 싶지는 않다.

흔히 스타트업의 우선 조건으로 고유 기술을 꼽는다. 스리체어스만의 기술과 노하우가 있다면.

스타트업의 우선 조건이 고유 기술이라고 생각하지 않는다. 우리는 스타트업을 이용자의 문제를 해결하고, 반복과 확장이 가능한 비즈니스 모델을 갖춘 곳이라고 정의한다. 대개 반복과 확장은 IT 기술을 통해 이뤄지는 경우가 많기에, 기술과 스타트업이 동의어처럼 여겨진다. 우리가 내린 정의에 따르면, 콘텐츠 분야에 스타트업이라 부를 만한 곳이 많지 않다. 젊은 층에서 인기를 끌고 있는 짧은 영상 콘텐츠 역시 마찬가지다. 콘텐츠를 유통하는 채널이 새로워졌을 뿐, 생산자의 노동력에만 의존하는 것은 수십 년 전 제작 현장과 다를 바 없다. 저널리즘 분야도 상황은 비슷하다. 뉴스 스타트업을 표방하는 곳이 많지만, 데이터, 기술 기반의 뉴스 큐레이션 회사를 제외하고, 뉴스를 자체 생산하는 곳 중 스타트업이라 할 만한 곳이 드물다. 레거시 미디어보다 뉴스 생산자(기자)의 수는 훨씬 적은데 제작 방식은 같다. 기자의 개인 역량과 노동력에만 전적으로 의존하고 있다. 더 좋은 기사를 더 많이 발행하려면 더 많은 기자를 채용하는 수밖에 없다. 레거시 미디어가 다루지 않는 독특한 주제에 천착한다고 해서 뉴스 스타트업이 될 수는 없다.

그럼, 북저널리즘의 해법은 뭔가?

'전문가의 기자화'다. 기성 언론은 직접 취재해 보도하지만, 북저널리즘은 각계 전문가가 저술한다. 학술적 깊이와 현장 경험을 두루 갖춘 저자들이 우리 플랫폼을 통해 심도 있고 시의성 있는 저널리즘 콘텐츠를 생산하도록 하고 있다. 일간지의 매거진화, 기자의 전문화도 같은 문제의식에서 출발했지만, 제한적인 변화로는 레거시 미디어의 붕괴를 막을 수 없다.

왜 지금 출판 저널리즘인가?

출판 저널리즘은 새로운 게 아니다. 출판이 저널리즘의 영역을 벗어난 적은 없다. 확장 해석하자면 찰스 다윈의 《종의 기원》보다 뛰어난 저널은 없다. 유발 하라리의 《사피엔스》, 새뮤얼 헌팅턴의 《문명의 충돌》도 마찬가지다. 훌륭한 저작 하나는 수많은 기사보다 큰 영향력을 발휘해 왔다.

일반 단행본과 북저널리즘은 어떻게 다른가?

북저널리즘을 론칭하기 전 이용자들이 지적 콘텐츠를 어떤 목적으로 소비하는지 고민했다. 지식과 정보라는 단어 사이에 약간의 뉘앙스 차이가 있다고 생각했다. 지식은 'worth to read(읽을 가치가 있는)'에 가깝고, 정보는 'must read(읽어야 하는)'에 가깝다. 우리는 must read를 지향한다. 고담준론이나 사변적인 텍스트보다는 현실과 밀착한 지식, 지혜로운 정보에 집중한다. 간단히 말하자면,《논어》는 마흔이 넘어서 읽어도 된다. 하지만 지금, 깊이 읽어야 할 주제들이 분명히 있다.

지금 깊이 읽어야 할 주제란 어떤 것인가?

빠르게 변화하는 세상을 깊이 이해하는 데 도움을 주는 주제다. 최근 화제가 되고 있는 미국의 보호무역주의를 예로 들자면, 무역 분쟁 일지와 같은 단순 사실 보도만으로는 사건의 맥락과 배경을 깊이 이해하기 어렵다. 지적 갈증이 해소되지 않는다. 우리는 사실 전달에 더해, 전문가의 고유한 시각을 빌려 왜 자유무역주의가 탄생했는지, 보호무역주의와 자유무역주의의 장단점은 무엇인지 하나씩 살펴 가며 트럼프 행정부의 무역 정책을 분석한다.

카테고리는 밀레니얼스Millennials, 밸런스Balance, 퓨처Future, 폴리틱스Politics, 비즈니스Business로 구분한다. 밀레니얼스에서는 밀레니얼 세대의 문화와 사회 현상을 다룬다. 밸런스는 여가와 라이프 스타일, 퓨처는 테크와 미래, 폴리틱스는 정치와 힘의 문제, 비즈니스는 경제와 산업 부문을 조명한다.

한국의 언론 환경은 객관주의 저널리즘에 익숙하다.

뉴스의 개념과 형태, 소비 방식은 끊임없이 바뀌어 왔다. 근대적인 신문이 등장한 20세기 초부터 1990년대 후반까지 뉴스는 팔목을 움직여 소비하는 것이었고, 2000년대 후반까지는 마우스를 스크롤하여 소비하는 것이었다. 스마트폰이 등장한 2009년부터는 엄지손가락으로 액정 화면을 밀어 올리며 소비하는 것이 되었다. 주요 일간지 1면의 기사 개수도 1960년대 평균 15개에서 현재 4개로 바뀌었다. 뉴스의 개념 역시 고정불변한 것이 아니다. 한 세기 가까이 이어져 온 객관주의 저널리즘은 디지털 시대로 접어들며 위기를 맞고 있다. 단순 사실은 누구나 손쉽게 전달할 수 있게 되었다. 머지않은 미래에 단순 사실의 전달은 비트bit의 조합으로 여겨질지 모른다. 이제는 고유한 관점과 통찰을 전달해야 한다.

취지에는 공감하지만 현실적 어려움이 상당할 것 같다. 깊이와 시의성을 모두 갖추려면 제작 기간을 감안할 때 결국 미래 이슈를 예측해야 한다는 뜻인데.

일간지, 방송 뉴스와 콘텐츠의 속성이 달라서 아직 큰 어려움을 겪고 있지는 않다. 우리가 제시하는 고유한 관점과 통찰은 단순 사실을 다루는 데일리 뉴스보다 콘텐츠의 생명력이 길다. 예컨대 아마존의 무인점포와 라스트 마일 배송last mile delivery 소식을 단순 소개하면 며칠 내로 휘발되지만, 아마존을 비롯한 물류업의 혁신 사례를 통해 물류와 산업의 미래를 전망하면 오래 읽힐 수 있다. 미래 이슈를 제시하는 또 하나의 방법은 주목받지 않던 주제를 이슈가 되도록 만드는 것이다. 아직 사회 이슈로 부상하지 않았지만 숙고할 가치가 있는 주제라면 우리가 먼저 나서서 조명하고자 한다. 의제 설정은 저널리즘의 주요한 역할 중 하나라고 생각한다.

최근 디지털 버전을 출시했다. 수많은 디지털 플랫폼들과 차별화되는 점이 있다면.

먼저, 분량의 다양화다. 대부분의 읽기 콘텐츠는 아주 짧거나 아주 길다. 우리는 20~30분이면 완독이 가능한 '미드' 분량의 콘텐츠를 제작하고 있다. 칼럼은 너무 짧고 책은 너무 길다고 느꼈던 독자라면 최소 시간에 최상의 지적 경험을 할 수 있다. 연재 콘텐츠도 시작했다. 실시간으로 이용자의 피드백을 받아 원고에 반영한다. 이용자 경험에도 극도로 신경을 쓰고 있다. 웹 환경에서도 긴 글이 주는 지적 만족감을 경험할 수 있도록 전자책 수준의 가독성을 구현했다.

디지털에 익숙한 10~30대의 밀레니얼 세대는 긴 글에 익숙하지 않다고들 한다.

흔히들 짧고 선정적인 내용에 독자들이 반응한다고 하지만, 그것이 긴 글을 기피한다는 뜻은 아니라고 생각한다. 문제는 긴 분량이나 깊은 내용이 아니라, 읽을 만한 가치가 있느냐에 있다. 긴 글에 익숙하지 않은 세대라고 하지만, 웹소설은 급성장하고 있다. 읽는 목적이 재미든 정보든 지식이든 읽을 가치가 있는 글은 언제나 소비되기 마련이다.

타깃 독자는 어떻게 되나?

와이어드의 광고 문구인 "Don't let the future leave you behind"에 견줘 설명하자면, 최신 정보에 뒤처지고 싶지 않고 트렌드에 민감한 사람들이다. 이용자 FGI에 따르면, 북저 널리즘 이용자는 새로운 기술과 문화에 거부감이 없고, 다양한 경험을 통해 세상을 더 깊이 알기를 원한다. 전체 이용자의 65퍼센트가 25~39세다. 거주 지역별로는 서울 종로, 강남, 마포, 서초, 중구, 분당, 송파, 용산구 순서로 높다. 직업군은 지식 산업과 스타트업 종사자가 많은 편이다.

국내 롱폼 저널리즘의 수요는 어디에 있을까?

호흡이 길고 심도 있으며 문장이 뛰어난 기사를 원하는 이용자는 늘 있었다. 주간지, 월간지 정기 구독자가 대표적이다. 다만 특정 분야만을 다루는 기존의 정기 간행물은 확장성에 한계가 있다. 우리는 사회 전 분야를 다루되, 미래 이슈에 집중하고자 한다. 여기서 말하는 미래는 SF 영화의 그것이 아니라, 일과 삶에 있어 어제보다 성장하기 위해 알아야 하는 주제를 뜻한다. 지적 호기심과 자기 계발 욕구가 강한 독자들이 우리 플랫폼에 들어와서 관심이 가는 주제를 골라 읽을 수 있도록 하고 있다.

반응이 가장 좋았던 프로젝트는?

《검사는 문관이다》가 반응이 가장 좋았다. 3쇄를 찍었다. 새 정부 출범 직후 검찰 개혁이 화두가 되리라 생각하고, 2017년 3월에 착수해서 5월 중순에 펴냈는데, 예상대로 화제가 되면서 좋은 성과를 냈다. 최고의 저자('PD수첩 검사'로 유명한 임수빈 변호사), 콘텐츠의 깊이, 시의성이 맞아떨어져 좋은 반응을 얻었다. 검경 수사권 조정이나 공수처(고위공직자비리수사처) 설치 같은 뻔한 담론이 아닌 '검찰 내부로부터의 개혁'이라는 신선한 스토리를 담았다.

이용자 수는 얼마나 되나?

2018년 7월 디지털 상품과 종이 상품을 합해 월 유료 이용자가 2300명을 넘었다. 론칭 후 분기별로 평균 43퍼센트씩 성장해 왔는데, 최근 성장세가 빨라지고 있어 8월에는 이전 달을 크게 상회하는 이용자 수를 기대하고 있다.

위기에 처한 한국 저널리즘의 틈새를 공략하는 시도로 볼 수 있을까?

틈새 공략이라기보다 새 장르 개척이라고 말하고 싶다. 현재 언론 비즈니스를 지탱하고 있는 육하원칙에 따른 사실 보도는 가까운 미래에 더 이상 저널리스트의 영역이 아닐 것이다. 탐사 보도나 기획 취재, 해설 기사가 주 영역이 될 것이다. 엇비슷한 콘텐츠로는 플랫폼 이코노미에서 좋은 성과를 거두기 어렵다. 소비자의 효용 가치를 극대화한 콘텐츠를 내놓아야 한다. 무척 재밌거나(Buzzfeed), 무척 새롭거나(VICE), 무척 전문적이거나(Politico), 무척 깊어야 한다. 앞의 세 영역에는 많은 도전자가 나타나고 있다. 유의미한 성공을 거둔 기업도 많다. 그러나 깊이 있는 콘텐츠를 제공하는 매체는 손에 꼽을 정도다. 지혜로운 정보와 현실과 밀착한 지식을 원하는 소비자는 분명히 있다.

최근 영국의 가디언, 인디펜던트와 국내 최초로 파트너십을 맺었다.

한국인의 영어 구사 능력이 과거보다 월등히 늘었지만, 영어를 국문만큼 편하게 읽을 수 있는 사람은 많지 않다. 우리 독자를 1980~1990년대 초에 태어난, 스마트한 코즈모폴리턴 cosmopolitan이라 상정할 때 국내 콘텐츠만으로는 독자의 다양한 니즈를 충족하기 어렵다고 생각했다. 그래서 해외 매체들과의 협업을 고민했다. 롱폼 저널리즘의 전형인 가디언의 롱 리드The Long Read를 읽을 때마다 필진들의 고유한 관점과 사유, 문학적 서사가 탐났다. 단편 소설 한 편 분량이라 지루할 새 없이 깊은 통찰을 얻을 수 있다. 세계 각지의 이슈를 현장감 있게 다루고 있어 지적 호기심을 채우고 텍스트 편식을 막기에도 좋다. 좋은 글 중에서도 더 좋은 글을 가려내어 북저널리즘에서 번역, 소개한다. 두 매체 외에 다른 미디어 회사와의 협업도 꾸준히 논의하고 있다.

<u>북저널리즘의 향후 1년을 전망한다면.</u>

모든 계획은 실제 업무에 착수하는 순간 틀어지기 마련이다. 스타트업은 더욱 그렇다. 바뀔 것보다 바뀌지 않을 것에 대해 말하고 싶다. 영원하다고는 못해도 꽤 오랜 시간이 지나도 변하지 않을 것에 집중하려고 한다. 우리는 최고의 저자를 찾아, 최상의 콘텐츠를 만들어, 독자에게 전하고자 한다. 그것이 독자에게 가장 유리하기 때문이다. 이 조건은 시장 환경이 아무리 바뀌어도 변하지 않을 것이다. 이 전제하에서 다양한 시도

를 펼칠 생각이다. 콘텐츠 종수를 점차 늘리고 발행 프로세스를 가다듬어 올가을부터는 정기 구독 서비스를 도입할 계획이다. 아직 공개하기는 어렵지만 이용자 편의 측면에서 획기적인 시도들을 준비하고 있다. 스타트업의 존재 이유는 문제 해결이다. 콘텐츠 이용자 입장에서 불합리했던 부분, 불편했던 부분을 하나씩 개선해 나가려고 한다.

업데이

하나의 앱, 유럽의 모든 뉴스

업데이Upday는 유럽 최대 미디어 그룹인 독일 악셀슈프링어 Axel Springer의 자회사 upday GmbH & Co. KG가 2016년 2월 정식 출시한 뉴스 큐레이션 앱이다. 앞서 2015년 9월 악셀슈프링어와 삼성전자는 전략적 제휴를 맺고 업데이 론칭을 위한 벤처 설립을 발표했다. 두 회사의 협업은 마티아스 되프너 Mathias Döpfner 악셀슈프링어 CEO와 이재용 삼성전자 부회장의 2014년 만남에서 시작됐다.

업데이는 삼성전자 스마트폰에만 콘텐츠를 독점 공급한다. 페이스북과 구글, 유튜브가 미디어 플랫폼을 장악해 가는 상황에서, 악셀슈프링어와 삼성전자는 공동 개발한 자체 플랫폼으로 승부를 보겠다는 자신감을 보였다. 앱의 첫 화면에는 'Upday for Samsung'이라는 문구가 선명히 적혀 있다. 서비스는 독일, 폴란드, 영국, 프랑스를 시작으로 2018년 6월 기준 유럽 16개국에 제공되고 있다.

이 뉴스 앱은 출시 10주 만에 사용자 150만 명을 끌어모았다. 그리고 2018년 2월 월간 사용자 수 2500만 명을 돌파했다. 출시 2년 만에 16배 성장한 것이다. 일간 페이지 뷰는 10억 뷰에 달해, 구글 뉴스 앱의 수치를 훌쩍 넘어섰다. 자체 콘텐츠 생산 없이 출시 2년 만에 이룬 성과다. 업데이의 누적 방문자 수는 2018년 4월 기준 5억 7700만 명을 돌파해 독일 온라인 뉴스 1위를 기록했다. 2위는 독일 일간지 빌트(Bild, 3억 8300만 명), 3위는 주간지 슈피겔(Der Spiegel, 2억 3400만 명)이다. 독일 최대 발행 부수를 자랑하는 빌트도 악셀슈프링어를 모기업으로 두고 있다.[23]

업데이는 저널리스트가 직접 고른 주요 뉴스인 '톱뉴스 Top News'와 자체 알고리즘이 사용자의 이용 패턴을 분석해 콘텐츠를 추천하는 '마이 뉴스My News'로 구성된다. 톱뉴스는 숙련된 에디터가 뉴스를 선별해 상황별로 제공하는 콘텐츠다. 하루 평균 20개가 조금 넘는다. 독자들이 굳이 여러 기사를 찾아 읽지 않아도 어떤 이슈가 중요한지 한눈에 파악할 수 있도록 돕는다. 마이 뉴스는 테크, 비즈니스, 스포츠, 동물 등 사용자가 지정한 관심 분야의 소식만을 골라 전달한다.

2000년대 초부터 디지털 전환에 주력해 온 악셀슈프링어는 2017년 매출의 80퍼센트를 디지털 분야에서 올렸다. 이회사는 2015년 초 파이낸셜타임스 인수에 도전하는 등 공격적인 행보로도 주목을 받았다. 악셀슈프링어는 같은 해 9월 3억 4300만 달러에 미국 온라인 경제 매체 비즈니스 인사이더 Business Insider를 사들였다. 악셀슈프링어가 지난 10여 년간 인수한 디지털 기업은 150개가 넘는다.

업데이 앱은 서비스 지역인 유럽 16개국에서만 다운로드받을 수 있다. 애플 뉴스가 미국, 영국, 호주 등 일부 국가에 한해 서비스를 제공하는 것과 비슷하다. 베를린에 있는 본사를 방문했을 때 업데이를 써볼 기회가 있었다. 카드 한 장에 기사 한 꼭지가 담겨 있는 카드 뉴스 형식이다. 하지만 독자의 호기심을 유발하는, 내용을 전혀 짐작할 수 없는 '낚시성' 카드 뉴스와는 다르다. 업데이는 카드 한 장을 보고도 기사의 전반적인 내용을 알 수 있도록 한다.

사용자 인터페이스UI는 뉴스 큐레이션 앱 플립보드Flipboard 와 비슷하다. 플립보드가 이미지와 기사 본문의 일부를 보여준다면, 업데이는 이미지와 함께 요약 글 두세 문장을 보여 준다. 가령 미국의 민간 우주 항공 업체 스페이스X의 로켓 폭발 기사에서는 사고에 관한 리드 문장과 함께 일론 머스크 CEO 의 관련 발언이, 페이스북의 개인 정보 유출 기사에서는 사용자의 데이터가 유출된 정황과 함께 피해자 규모가 8700만 명에 달한다는 내용이 요약되어 나타난다.

얀 에릭 페터스Jan-Eric Peters CPO(Chief Product Officer, 최고제품책임자)는 이 점이 업데이의 강점 중 하나라고 말한다. 최상급 알고리즘 기술로 사용자의 취향을 고려한 기사를 적절히 추천할 뿐만 아니라, 노련한 저널리스트가 기사의 핵심을 요약해 독자의 이해를 돕는다는 것이다. 페이스북의 뉴스피드에 가짜 뉴스가 넘쳐나는 것과 달리 업데이는 에디터가 선별한 '진짜 뉴스'만 제공한다는 게 페터스 CPO의 말이다.

콘텐츠를 제공하는 퍼블리셔가 3500개에 달하는 것도 이 앱의 큰 강점이다. '하나의 앱, 유럽의 모든 뉴스'는 업데이가 내세우는 슬로건이다. 퍼블리셔 중에는 BBC와 파이낸셜타임스, 슈피겔과 같은 대형 언론사뿐만 아니라 유명 블로거도 있다.

업데이에는 배너 광고가 없다. 군더더기 없이 콘텐츠로만 화면이 구성되어 있어 가독성이 높다. 대신 주로 네이티브 광고를 게재한다. 뉴스 카드 열 장마다 한 장씩 광고가 노출되는데, 이용자의 취향을 분석해 맞춤형 광고를 보여 준다.

업데이의 폭발적인 성장은 악셀슈프링어의 막대한 투자와 삼성전자 디바이스의 결합 덕분에 가능했다. 유럽에서 판매되는 갤럭시는 업데이 앱이 설치된 상태로 유통된다. 삼성 스마트폰을 구입하면 좋든 싫든 업데이 앱을 쓰게 된다는 얘기다. 론칭한 해인 2016년, 삼성전자 갤럭시 노트7의 폭발이라는 대형 악재가 있었지만, 별다른 영향 없이 순항하는 모양새다.

얀 에릭 페터스 부대표 인터뷰 ; "저널리즘과 알고리즘의 결합…3500개 매체 큐레이션"

독일 베를린의 중심가 크로이츠베르크 지역에 있는 업데이 뉴스룸에서 얀 에릭 페터스 업데이 CPO 겸 부대표를 만났다. 업데이 뉴스룸은 베를린 장벽 터에 있는 모기업 악셀슈프링어 본사의 서쪽 한 층을 차지하고 있었다. 비가 내린 오후, 통유리로

둘러싸인 사옥 내부에서는 우산을 든 행인들이 내려다보였다.

페터스 CPO는 2016년 초 업데이에 합류했다. 자신을 '30년 차 저널리스트'라고 소개한 그는 짙은 색 청바지에 흰색 운동화 차림이었다. '젊은 뉴스룸'을 표방하는 업데이의 분위기를 단적으로 보여 줬다. 그는 여느 스타트업 멤버처럼 민첩했고 소탈했다. 후디hoodie를 입은 20대 엔지니어와 수시로 대화했다. 인터뷰를 마치면서 궁금한 것이 있으면 언제든 연락하라던 페터스 CPO는 최근까지 이어진 이메일 인터뷰에 빠르게 회신했다.

그는 독일 일간지 디벨트DIE WELT의 편집국장과 뉴스 채널 N24의 보도국장을 10년 이상 역임했다. 국장 재임 시절 디벨트를 종이 신문과 TV, 온라인을 아우르는 혁신적인 미디

얀 에릭 페터스 CPO 겸 부대표

어로 전환시켰다.

페터스 CPO는 인터뷰에 앞서 뉴스룸 곳곳을 직접 안내했다. 업데이 사무실은 크게 편집팀, 마케팅팀, 개발팀, 품질관리팀, 요가실, 요리실, 게임실 등으로 구성돼 있었다.

업데이의 큐레이션 서비스를 소개해 달라.

악셀슈프링어는 뉴스 콘텐츠를 재가공하는 기존의 애그리게이터 서비스가 위기에 처해 있다고 판단하고, 업데이 서비스 개발에 착수했다. 업데이는 자체 개발한 뉴스 선별 알고리즘과 머신러닝이 결합된 서비스다. 알고리즘이 자동으로 이용자의 관심사를 분석한다. 이용자가 축구 콘텐츠를 즐겨 본다면, 그와 관련된 기사를 더 많이 추천한다.

플립보드 같은 큐레이션 서비스와 차별화되는 점은 무엇인가?

업데이의 콘텐츠는 알고 싶어 하는 뉴스want to know인 '마이 뉴스'와 알아야 하는 뉴스need to know인 '톱뉴스', 두 가지로 구성된다. 마이 뉴스는 이용자가 가입할 때 선택한 관심 분야와 이용자가 자주 읽은 뉴스 등을 분석해 알고리즘이 자동으로 추천한다. 1차적으로 콘텐츠 엔지니어들이 이용자의 관심사와 선호도를 반영한 300개 뉴스의 소스가 확실한지 확인하고, 2차적으로 알고리즘이 자동 선별하는 과정을 거친다. 이용자가 즐겨 보는 뉴스 분야를 선택하면 알고리즘이 마이 뉴스 추천에 반영한다. 반면 톱뉴스는 유럽의 8개국 지부에 있는 우리 에디터들이 현지 상황을 반영한 뉴스를 엄선해 추천한다. 업데이 콘텐츠의 뉴스 소스는 3500개 매체가 넘는다. 업데이가 진출한 독일, 폴란드, 영국, 프랑스, 네덜란드, 스페인 등 16개국의 매체를 합한 수치다. 업데이는 비즈니스, 영화, 음악 등 거의 모든 소스의 콘텐츠를 제공받는다. 뉴욕타임스, 월스트리트저널, 슈피겔 등 주요 매체부터 유명 블로거의 글까지 참고한다. 서비스 지역의 현지 특성을 대폭 반영한 콘텐츠가 업데이의 또 다른 강점이다. 각 서비스 지역에 거주하는 현지인 에디터가 뉴스를 엄선한다.

품질관리팀Quality Content Team이 3500개에 달하는 퍼블리셔를 관리하는 것으로 안다. 업데이에 콘텐츠를 제공하는 매체를 고르고 관리하는 기준이 있나?

업데이의 퍼블리셔가 되려면 세 가지 조건을 충족해야 한다. 저널리즘 표준을 준수해야 하고, 웹사이트는 표준 사양에 맞는 활성 RSS[24] 피드를 제공해야 하고, 모바일 최적화가 되어 있어야 한다. 우리는 퍼블리셔의 RSS 피드를 수집하는데, 그 과정에서 콘텐츠의 품질을 철저히 검토한다. 편향되거나 왜곡된 뉴스는 받지 않는다. 업데이의 저널리스트들이 큐레이션한 톱뉴스 목록에 가짜 뉴스는 없다. 콘텐츠의 품질이 우리의 최우선 가치다.

타 매체의 콘텐츠를 가공하는 것인데, 별도의 사용료를 지불하는가?

사용료는 없다. 업데이는 타 매체 콘텐츠의 출처를 명시하고 기사의 원문도 소개한다. 문제될 게 없다. (업데이 앱을 가리키며) 영국 일간지 데일리스타Daily Star의 페이지를 보자. 기사를 누르면 바로 해당 매체의 페이지로 넘어간다. 업데이는 콘텐츠 원문과 함께 두세 문장 분량의 요약문을 제공한다. 콘텐츠를 제공하는 매체의 트래픽도 올라간다. 업데이에 콘텐츠를 제공하는 대형 언론사는 모바일 트래픽의 5퍼센트를 업데이에서 얻고 있다. 비율이 20퍼센트로 치솟을 때도 있다.

아웃링크를 말하는 것인가?

그렇다. 구글과 같은 방식이다. 업데이에서 발견한 기사를 이
용자가 클릭하면 해당 언론사의 페이지로 이동하는데, 광고 차
단기를 사용할 수 없는 브라우저에서 기사가 열린다. 단순 트
래픽뿐만 아니라 광고 수익에도 직접적인 도움을 줄 수 있다.

다수 매체와 소셜 미디어가 알고리즘 자동 편집을 강화
하는데, 업데이는 '휴먼 큐레이션' 서비스를 강조한다.

악셀슈프링어 그룹은 경험이 풍부한 저널리스트를 기계보다
중요하게 여긴다. 우리는 기계를 적극 활용하지만, 이를 전면
에 내세우면 필터 버블[25]이나 콘텐츠 중복 같은 문제가 발생할
수 있다. 중요도가 떨어지는 뉴스를 추천하는 오류가 생길 수
도 있다. 뉴스의 가치 판단 능력은 기계가 사람을 넘지 못한다.

사람이 직접 뉴스의 중요도를 판단하다 보니, 편향성에
대한 우려도 있다.

그렇게 생각할 수 있다. 하지만 업데이의 콘텐츠에는 편향된
시각이 없다는 걸 자부한다. 우리 콘텐츠는 기본적으로 뉴스

리포팅이지 오피니언 콘텐츠가 아니다. 업데이는 항상 객관적인 시각을 가지려고 노력한다.

업데이가 사용자 경험UX을 어떻게 바꿨다고 생각하나?

업데이 사용자들은 전문적인 저널리즘과 인공지능의 결합을 높이 평가한다. 멀티 소스에 대한 만족도도 높다. 하나의 앱으로 유럽의 모든 뉴스를 접할 수 있다.

업데이 앱의 이용자 수는 얼마나 되나?

2018년 3월 기준 월간 순사용자는 2500만 명이다. 업데이는 유일한 범유럽pan-European 뉴스 앱이다. 업데이 고객이 급증할 수 있었던 이유는 삼성 스마트폰 사용자가 꾸준히 늘고 있기 때문이다. 독일에서만 하루 수천 명이 갤럭시 시리즈를 구입한다.

2015년 9월 삼성전자와 악셀슈프링어의 파트너십은 한국에서도 여러 매체가 보도했다. 두 기업이 제휴를 맺게 된 배경을 설명해 달라.

2014년 7월 미국 선밸리 콘퍼런스(Allen & Company Sun Valley

Conference, 매년 7월에 개최되는 IT와 미디어 분야의 비공개 행사) 에서 마티아스 되프너 악셀슈프링어 CEO와 이재용 삼성전 자 부회장이 만나서 제휴를 논의했다. 그리고 몇 달 후 악셀슈 프링어는 한국의 삼성전자 본사에 직원 12명을 보냈다. 나도 수원의 삼성디지털시티를 여러 차례 방문했다. 두 회사는 3 주간 관련 사업을 논의하는 워크숍을 갖고 이듬해인 2015년 9월 제휴 체결을 발표했다.

<u>2016년 삼성전자 갤럭시 노트7의 기기 불량이 한국과 독일을 비롯한 세계 각지에서 문제가 됐다. 업데이에는 타격이 없었나?</u>

다행히 별 여파는 없었다. 삼성 스마트폰은 그때나 지금이나 독일 시장에서 가장 인기가 많은 제품이다.

<u>삼성전자와의 제휴를 확대할 계획이 있나?</u>

업데이는 이미 삼성전자 스마트폰 외 다른 가전제품에도 뉴 스를 제공하고 있다. 삼성 스마트 워치와 디스플레이를 갖춘 삼성 냉장고 등이 대상이다. TV에 뉴스를 제공하는 서비스도 준비 중이다. 업데이가 삼성전자 스마트 디바이스 생태계의

독일 베를린 악셀슈프링어 사옥 내 업데이 뉴스룸

일부가 되는 것은 굉장한 일이다.

뉴스룸의 인력은 얼마나 되나?

직원 수는 100명이 넘는다. 뉴스룸에서 가장 먼저 소개할 곳은 편집팀이다. (자신의 사무실 바로 옆에 있는 자리를 가리키며) 베를린 본사의 편집팀에는 6명의 직원이 있다. 업데이를 론칭한 나라마다 별개의 팀이 있다. 베를린, 런던, 파리, 마드리드, 밀란, 바르샤바, 암스테르담, 스톡홀름, 총 8개 뉴스룸에 저널리스트 50여 명이 있다. 다수가 취재 경력을 갖춘 에디터다. 그들은 뉴스의 흐름을 파악하고 독자들이 알아야 할 뉴스를 선별한다. 업데이 서비스의 핵심 기능을 편집팀이 맡고 있다. 알고리즘에 의한 뉴스 선별 기술도 중요하지만, 숙련된 에디터의 맞춤형 기사 추천은 더욱 중요하다. 직원의 3분의 1 이상은 엔지니어다. 이들은 독일을 포함한 20여 개국 출신이다. 업데이는 뉴욕타임스, 아마존 출신의 개발 인력들을 모았다. 나머지 3분의 1은 비즈니스 분야로 마케팅과 세일즈 담당자들이다.

수익 모델은 어떻게 되나?

광고다. 업데이는 사용자가 뉴스 카드를 넘겨 볼 때 6~10장에 한 번씩 네이티브 광고를 노출하는데, 광고 클릭률CTR·Click-Through Rate이 1퍼센트에 달한다. 앱에 100번 노출될 때 광고를 1번 클릭했다는 뜻이다. 업계 평균보다 높은 수치다. 업데이 앱은 소비자가 원하는 광고를 보여 준다. 독자별로 타기팅한다. 가령 사용자가 BMW에 관한 기사를 자주 본다면 그에 맞는 광고를 보여 준다. 이 서비스는 알고리즘을 보완해서 더욱 발전시킬 예정이다. 업데이의 자동차 네이티브 광고는 사용자의 11퍼센트가 시운전을 예약하도록 유도했다. 유럽 10대 자동차 제조업체 중 6곳이 광고를 예약하고 있다.

모기업인 악셀슈피링어의 실적 발표에 따르면 그룹 내 디지털 미디어는 2017년 12.5퍼센트의 수익 성장을 기록했다. 업데이의 최근 매출은 어떤가?

정확한 매출 규모를 공개할 수는 없지만 사업 규모가 계속 성장하고 있다. 특히 인터넷 이용자의 소비 행동을 분석해 이용자에게 필요한 광고를 추천하는 프로그래매틱programmatic 광고 매출이 매년 급성장하고 있다.

아시아 지역 출시 계획은 없나?

현재 유럽에서만 서비스를 제공하고 있다. 유럽 내 다른 국가로 확장할 계획이다. 아직 아시아 지역에 출시할 계획은 없지만, 파트너 업체 삼성이 있는 한국 독자들에게도 업데이를 소개하고 싶다.

제트엔진·3D 프린팅에 저널리즘을 더하다

GE리포트GE Reports는 미국의 제조업체 제너럴일렉트릭General Electric·GE이 2008년 론칭한 브랜드 미디어다. 일반 기업의 보도 자료가 '해당 기업은'으로 시작하는 정형화된 발표문이라면, GE리포트는 GE 고유의 해석을 담은 매거진이다. 스토리텔링을 전면에 내세운 브랜드 저널리즘의 대표적인 사례다.

브랜드 저널리즘은 래리 라이트Larry Light 전 맥도날드 최고마케팅책임자CMO·Chief Marketing Officer가 2004년 고안한 용어다. 그는 당시 "(불특정 다수를 대상으로 하는) 매스 마케팅은 더 이상 먹히지 않는다"며 새로운 마케팅 기법인 브랜드 저널리즘을 도입했다. 라이트는 브랜드 저널리즘을 '브랜드 스토리를 만들어 내는 다차원 방식'으로 정의하고, 브랜드를 잡지나 신문으로 생각해야 한다고 역설했다.[26]

필수 요소는 스토리다. 브랜드 고유의 이야기를 만들어 고객에게 전달한다는 점에서 신제품을 홍보하는 마케팅과는 차이가 있다. GE리포트는 제트엔진, 헬스케어, 가스터빈, 3D 프린팅 등 혁신 기술의 동향과 GE 엔지니어 인터뷰 등을 제공한다.

GE코리아는 2014년 7월 미국 본사의 리포트를 번역하는 수준을 넘어, 한국에 현지화한 'GE리포트 코리아'를 론칭했다. GE는 한국을 포함해 미국, 호주, 프랑스, 캐나다, 일본 등 14개국에서 GE리포트를 자체 제작하고 있다.

1878년 미국의 발명가 에디슨이 설립한 전기 조명 회사를 모체로 하는 GE는 자사를 '적층 제조, 첨단 재료, 디지털 패러다임의 변화를 이끌어 산업의 미래를 혁신하는 세계적인 하이테크 기업'으로 소개한다. GE와 한국의 인연은 130년 전으로 거슬러 올라간다. 1887년 3월 6일 경복궁 건청궁에는 국내 최초의 전등이 점화됐다. 당시 발전기를 설치하고 전등을 가설한 회사가 GE의 전신인 에디슨제너럴일렉트릭이다. GE코리아는 1976년 공식 출범했다.

GE가 브랜드 저널리즘의 대표 격인 코카콜라, 맥도날드와 어깨를 나란히 하게 된 데에는 토마스 켈너Tomas Kellner GE 디지털 총괄 편집장의 역할이 컸다. GE리포트 제작을 총괄하는 켈너 편집장은 포브스 기자 출신으로 2011년 GE에 합류했다. 그는 다양한 실험을 앞세워 GE리포트를 수준 높은 '테크 매거진'으로 만들었다. GE항공 콘텐츠 제작을 위해 미시간호 2500피트 상공을 날면서 페리스코프와 스냅챗 계정으로 비행 장면을 보여 주기도 했다.

2018년 2월 GE의 인스타그램 공식 계정에는 20초 길이의 영상 하나가 올라왔다. GE 엔지니어로 보이는 한 남성이 스페인 카스테욘의 LM윈드파워LM Wind Power 공장에서 드론을 수십 미터 상공으로 띄워 거대한 구조물을 촬영한다. 길이가 볼링 레인의 네 배에 달하는 73미터 초대형 풍력터빈용 블레이드(날개)가 그 주인공이다. 소셜 미디어 운영에 열심인 다른 글로벌 제조 기업 보잉, 스페이스X, 소니처럼 GE 계정에는 전속 사진가의 작품이 수시로 올라온다. 다만 GE의 사진과 영상에는 늘 스토리가 있고 사람이 있다.

GE리포트는 소셜 미디어 계정 외에도 자사 웹사이트를 통해 데일리 뉴스, 비디오 콘텐츠, 200~300장 분량의 연간 사업 보고서 등을 소개하고, 뉴스레터 'The GE Brief'를 발송하는 디지털 뉴스의 허브다. GE리포트는 수십만 명의 충성 독자를 보유하고 있으며, 소위 대박이 난 게시물은 조회 수가 100만이 넘는다. 미국 소셜 뉴스 웹사이트 레딧의 상위 게시물에도 수시로 이름을 올린다.

GE리포트의 강점 중 하나는 '복잡한 이야기를 쉽게' 보여 준다는 것이다. 강화 플라스틱 '렉산Lexan'을 들어 본 적이 있는가? 공학 전공자가 아니라면 다소 생소할 것이다. GE리포트에는 GE가 자체 개발한 렉산을 소재로 한 콘텐츠가 있다. 신소재의 높은 강도를 알리는 데 그치는 홍보물이 아니라, 야구 선수가 마운드에 오르는 영상이다. 사이영상을 두 차례 수상한 미국 메이저리그 세인트루이스 카디널스의 투수 밥 깁슨은 렉산으로 만든 창문에 공을 던진다. 공을 50개 이상 던지지만 창문은 결국 깨지지 않는다.

GE리포트는 고정 독자를 다수 보유한 매거진으로 안착했지만 불안 요소도 있다. 바로 GE의 실적 부진이다. GE는 지난 1년간 주가가 55퍼센트 이상 하락했고, 급기야 지난 6월 다우 지수를 구성하는 30개 기업에서 제외됐다. 실적 부진으로 인해 글로벌 마케팅 예산이 줄어들 수밖에 없고, 이는 곧 GE리포트의 품질 저하로 이어질 수 있다.

정길락 이사 인터뷰 ; "GE리포트는 월스트리트저널, 뉴욕타임스와 경쟁한다"

GE리포트 코리아(www.gereports.kr)는 GE 콘텐츠의 허브다. GE의 기술을 고유의 스토리텔링으로 소개하는 채널이다. GE리포트와 별도로 구축된 '뉴스룸'에는 회사의 공식 입장을 소개하는 보도 자료와 관련 미디어 자료가 함께 제공된다. 기업 스토리텔링의 두 축을 유기적으로 연결하기 위해 리포트와 뉴스룸을 통합 운영한다.

GE코리아에서 브랜딩과 디지털 커뮤니케이션을 맡고 있는 정길락 이사를 인터뷰했다. 그는 2014년 GE코리아에 입사해 GE리포트 코리아의 론칭을 주도했다.

메이저리거 밥 깁슨이 나오는 영상을 재미있게 봤다.

GE는 기술 기업인데 중심엔 늘 사람이 있다. 기술로 에너지를 공급하고 질병을 치료하고, 더 나은 삶을 만드는 게 회사의 목표다. 리포트의 스토리텔링도 거기에 맞춘다.

GE리포트 코리아는 누가 만드나?

GE리포트는 GE 미국 본사가 2008년에 만든 브랜드 미디어다. 이후 지사별로 국가와 지역의 특성에 맞게 현지화했다. 한국, 일본, 호주, 유럽 등 14개국에 별도 매체가 있다. GE코리아 커뮤니케이션팀이 만드는 GE리포트 코리아는 GE 기술의

정길락 이사

우수성을 소개하는 '브랜드 채널'이다. 외부 에이전시 네 곳과 협업한다. 해외 GE 콘텐츠도 번역해서 소개한다. GE리포트는 브랜딩, 마케팅, 커뮤니케이션 전략의 결과물이다.

본사의 영향력은 얼마나 되나?

GE리포트의 주축은 미국 본사의 글로벌 콘텐츠다. 리포트 담당자끼리 콘퍼런스콜을 열어 리포트의 방향을 조율하고, 회사 전략과 맞춘다. 가령 '올해는 3D 프린팅에 초점을 맞추자, 스토리텔링은 어떻게 하자', '매체 전략은 어디에 집중하자' 등을 정하는 것이다. 이후 지사별로 지역 상황을 반영한 콘텐츠를 제작한다. 에너지, 항공, 헬스케어 등 나라마다 중심이 되는 비즈니스가 다르기 때문이다.

브랜드 저널리즘을 어떻게 정의하나?

브랜드 저널리즘은 기업이 가진 고유한 가치를 게이트 키퍼들(기성 언론)에게 의존하지 않고, 자신의 채널에서 독자적인 스토리텔링으로 풀어내는 것이다. 대량 인쇄와 배포를 통한 물리적 경쟁 우위에 영향을 받는 기존 매체 환경과 달리, 브라우징과 클릭으로 3초 만에 매체를 바꿀 수 있는 디지털 세상에서는 독자들이 매체 브랜드가 아니라 콘텐츠 단위로 구분하며 소비하는 경향이 강하다. 이런 환경에서 상대적으로 '밀어내기push적인' 요소가 강한 광고나 PR보다는, 고객이 기업의 매력적인 스토리에 스스로 '끌려오도록 하는pull' 체계적인 스토리텔링 활동이 필요한데, 그것이 브랜드 저널리즘이라고 생각한다.

브랜드 저널리즘 분야에서 GE리포트가 갖는 위치를 어떻게 평가하나?

GE리포트는 점점 더 격화되는 브랜드 저널리즘 매체들 사이에서 매우 독특한 위치를 갖고 있다. 단순히 제품이나 기술 정보를 제공하는 것은 제품 카탈로그나 브로슈어를 글로 풀어낸 버전과 다름없다. 하지만 GE리포트는 GE만의 산업적 전문성을 바탕으로 직간접적으로 관계있는 다양한 정보를 재해석하거나 재구성해 제공한다. GE리포트는 소재의 폭, 기사의 깊이, 산업 분야 전문성 측면에서 GE만의 '사고 리더십thought leadership'[27]을 펼치기 위해 노력하고 있다. 정보 중심의 콘텐츠를 넘어 산업을 이끄는 사고 리더십을 통해 실제 독자들이 기술과 산업에 대해 또 다른 관점을 갖도록 도와주는 매체는 GE리포트가 거의 유일하다고 생각한다.

리포트를 발간한 지 3년이 지났다. 그간의 성과를 알려 달라.

GE리포트를 한국에 처음 론칭할 때 고민이 많았다. 소비재를 파는 게 아니라 B2B 비중이 크기 때문에 이용자 입장에서 숫자를 체감하기가 쉽지 않다. '기업을 대상으로 수십에서 수백억 원 단위의 기계를 파는데, 이 콘텐츠가 어떤 의미를 가질까' 하고 생각했다. '질로 승부하자'는 원칙을 세웠다. 팩트 체크를 철저히 하고, 저작권을 확실하게 지키는 등 저널리즘의 기본을 지켰다. 고객의 신뢰를 얻으면서, 브랜드에 대한 신뢰가 쌓이는 걸 보여 주는 게 가장 중요한 목표였다. 업계에서 영향력을 확보하는 것이 핵심이다. GE는 140년이 된 역사가 깊은 회사고, 자칫 유행을 못 따라갈 수도 있다. 그래서 '진중하게' 가는 걸 택했다.

한국만의 독자성에 대한 고려는 없었나?

디지털 미디어 생태계가 나라마다 많이 다르다. 이걸 결정하는 가장 중요한 요소가 구글, 네이버, 야후 같은 검색 엔진이다. 독자 취향에도 큰 차이가 있다. 국내에는 여전히 과학과 기술 콘텐츠의 수요가 적다. GE코리아는 자체 플랫폼인 GE

리포트 코리아를 비롯해, 네이버 블로그, 네이버 포스트, 유튜브, 페이스북, 슬라이드쉐어Slideshare, 네이버TV 등 멀티채널 전략을 고수하고 있다. 온라인에서는 다양한 매체로 손쉽게 옮겨 다닐 수 있지만, 실제로는 독자 그룹별로 선호하고 지속적으로 방문하는 매체들이 고정되는 경향이 있다. 멀티채널의 일차적인 목적은 고객의 온라인 여정에서 접점touch-points을 늘리는 것이다. 또한 매체별로 갖고 있는 특징에 맞게 콘텐츠의 톤과 매너를 조율해 독자의 관심을 이끌어 내는 것이다. 특히 네이버 포스트의 경우 기업이 운영하는 과학 매체 중 가장 먼저 입점한 곳 중 하나다.

GE리포트 독자의 직업군은 어떻게 되나?

GE리포트 코리아의 뉴스레터 구독자를 살펴보면, 엔지니어(21.1퍼센트)가 가장 많다. 잠재 고객(17.6퍼센트), 학계(교수, 학생, 15.2퍼센트), 컨설턴트(7.1퍼센트), GE 고객(6.8퍼센트)이 뒤를 잇는다. 관심 분야는 산업 인터넷(13.4퍼센트)이 가장 많고, 산업 자동화(10.3퍼센트), 금융(9.4퍼센트), 헬스케어(9.1퍼센트) 순이다.

뉴스레터 구독자 수는 얼마나 되나?

2만여 명이다. 소비재 기업의 입장에서는 많지 않아 보일 수 있지만, B2B 산업의 특성을 고려할 때 상당한 수준이다. 특히 우리나라 제조업의 근간을 이루는 에너지 관련 산업의 구독자가 상당 부분을 차지하고 있어, 콘텐츠를 통해 영향력을 발휘할 수 있는 기반을 갖고 있다고 생각한다.

검색 유입이 가장 많이 발생하는 채널은?

GE리포트 코리아의 트래픽은 구글 유기 검색organic search이 가장 크고, GE코리아 페이스북, 블로그와 홈페이지 등 GE코리아 디지털 채널 순으로 많이 유입되고 있다. 콘텐츠 제작 및 발행에서 가장 중요하게 생각하는 부분 중 하나는 검색 엔진 최적화Search Engine Optimization[28]다. 기술 용어가 많이 사용되는 특성상, 표준 용어와 업계에서 실질적으로 사용되는 용어를 함께 반영할 수 있도록 콘텐츠를 제작한다. 영문만 존재하는 전문 용어의 경우에도 한글로 표현할 수 있는 부분은 최대한 표기하고 영문을 병기함으로써 독자의 이해를 도우면서도 검색이 잘되도록 한다.

성과 측정은 어떻게 하나?

디지털 콘텐츠의 효과가 직접적인 매출 성과로 측정되는 B2C 기업과 달리, B2B 사업을 중심으로 하는 GE의 브랜드 저널리즘은 고객과 지속적인 신뢰 관계를 형성하는 데 더욱 집중한다. GE리포트는 현재 GE고객과 잠재 고객을 중심으로, 의사 결정에 영향을 미치는 산업체 및 정부의 의사 결정자 집단, 업계 엔지니어 및 우수 인재 집단을 핵심 타깃 오디언스로 보고 있다. GE리포트와 이메일 뉴스레터에 대한 독자들의 피드백이 중요한 성과 측정 지표 중 하나다.

타깃 오디언스 집단에서 발견되는 특징이 있다면.

최근 몇 년간 많은 콘텐츠 생산자들이 모바일 중심으로 이동했다. 하지만 GE리포트 독자들의 행동을 분석해 본 결과, 방문자의 50퍼센트 이상이 PC에서, 대부분 낮 시간에 기사를 읽는다. 여가 시간에 하는 캐주얼한 정보 소비보다는 업무 중에 필요한 정보를 찾아 소비하는 것으로 볼 수 있다. 3분 내외의 화려한 영상이 소셜 미디어에서 공유가 잘되지만, GE리포트가 제작한 10분이 넘는 산업 전문가 인터뷰 영상들도 꾸준히 소비되고 있다. 일상에서 직관적으로 느끼는 콘텐츠 소비 패턴과 큰 차이를 보이는 부분이다.

토마스 켈너 GE리포트 총괄 편집장은 "GE리포트는 인텔, IBM, 보잉과 경쟁하지 않으며 월스트리트저널, 뉴욕타임스와 경쟁한다"고 말했다. GE리포트 코리아는 누구와 경쟁하나?

GE리포트 코리아는 타 매체들과 경쟁하기보다는 상호 작용하면서 발전하는 매체로 자리 잡으려 한다. 주요 매체의 산업면, 산업별 전문지, 산업별 주요 선도 기업들의 온라인 매체 모두에서 장점을 취함으로써 성장하려 한다. GE리포트 글로벌의 토마스 켈너 편집장이 말한 경쟁의 의미는 단순한 기업의 정보성 콘텐츠를 넘어 산업에 영향력을 갖는 완성도 높은 스토리텔링을 추구한다는 측면에서 기존 주요 매체와 겨루고 싶다는 의미로 생각된다. 그 점에서 GE리포트 코리아도 같은 목표를 추구하고 있다.

GE리포트 코리아에도 편집장 개념이 있나?

미국과 달리 편집장이라는 공식 직함이 있지는 않다. 조병렬 전무가 PR을 포함한 큰 틀에서 커뮤니케이션의 방향을 맡고,

나는 실제 디지털 콘텐츠 전략과 실무를 맡고 있다.

GE리포트는 복잡한 내용을 쉽게 소개한다.

사내에 별도의 '퍼스트 리더first reader'가 있다. 콘텐츠 초안의
검토를 마친 후 재차 수정한다. 플랫폼에 따라 다른 용어로 발
행한다. 가령 블로그에는 업계 용어인 '적층 제조' 대신 '3D
프린팅'을 쓴다. 타깃 독자는 해당 업계의 중간 관리자급 이
상 종사자, 엔지니어, 공대생이다.

한 꼭지를 만드는 데 얼마나 걸리나?

3주 정도 소요된다. 미국 본사의 콘텐츠를 한국에 맞게 새로
만드는 경우엔, 기획하고, 원문을 고르고, 번역하고, 내용을
추가하고, 인포그래픽 등 비주얼 작업을 하고, 자막 제작의 과
정을 거친다. 영상까지 넣으면 한 달이 걸린다.

신문사 편집국과 비슷해 보인다.

GE리포트의 콘텐츠 제작 과정은 취재, 편집, 디자인, 발행으
로 구성되어 기존 전통 매체와 유사한 부분이 많다. GE는 전

력, 항공, 재생 에너지, 헬스케어를 중심으로 폭넓은 산업에 걸쳐 사업을 영위하고 있다. 따라서 매체에서 다양한 분야를 취재하는 것과 마찬가지로 다양한 정보원에 대한 접근 및 콘텐츠 확보가 일차적으로 중요하다. 각 사업부와 함께 사내외로 취합한 정보를 기초로 작성된 기사는 해당 사업부의 팩트 체크 및 승인 과정을 거침으로써 사실 관계와 용어에 오류가 없도록 한다. 마지막으로 디지털 매체의 속성에 맞도록 디자인 및 편집 작업을 거쳐, 디지털 콘텐츠로 최종 발행한다. 특히, 언론에서 가장 중요한 역할 중 하나가 사회적 의제 설정인 것처럼 모든 GE리포트의 콘텐츠는 GE의 첨단 기술을 중심으로 개별 산업이 어떤 방향으로 혁신해야 하는지, 더 나아가 어떻게 더 나은 세상을 만들어 가야 하는지에 대한 의제를 제시하고자 노력한다.

신문사와 다른 점이 있다면.

많은 전통 매체들이 상대적으로 지역 중심의 콘텐츠를 생산한다. 그러나 GE는 180개 이상의 국가에서 사업을 하는 만큼 해당 GE리포트가 담당하는 지역의 특수성을 포함하면서도, 첨단 기술 및 비즈니스 측면에서 글로벌 이슈를 담는 콘텐츠를 만들어 낸다.

고객, 투자자, 임직원의 반응이 좋았던 콘텐츠는?

소위 '핫한 콘텐츠'를 가장 좋아한다. 3D 프린터로 제트엔진 부품을 만드는 공장, 초음속 항공기 엔진 같은 콘텐츠의 조회와 공유 수가 많았다.

상당수의 브랜드 저널리즘이 자사 제품의 장점을 소개하는 데 집중해 저널리즘이 아닌 마케팅에 가깝다는 지적이 있다. 맡은 업무를 GE의 홍보로 생각하나, 저널리즘으로 생각하나?

사회 다방면의 이슈를 중심으로 하는 저널리즘과 달리 브랜드 저널리즘은 본질적으로 기업이 어디에서 사회적 가치를 만들어 내느냐에 기반을 둘 수밖에 없다. 바로 그 기업이 전문성을 가지고 있는 분야다. 따라서 자사 제품의 기능과 특성을 소개하는 것을 넘어 그 전문성이 어떤 사회적 맥락에 닿아 있는지까지 전달한다면, 브랜드 저널리즘의 목표에 충실한 것이라고 생각한다. 예를 들어, 새로운 가스터빈이 전기의 혜택을 받지 못하는 낙후된 지역을 어떻게 변화시키는지, 새로운 재생 에너지 기술이 깨끗한 세상을 만드는 데 어떻게 도움을 주고 있는지를 전달하는 GE리포트의 기사들은 우리 삶의 변화라는 맥락에 직접적으로 닿아 있다. 이러한 스토리들은 제품 설명을 넘어 회사가 창출하는 사회적 가치에 대한 이야기를 하고 있기 때문에, 마케팅을 넘어선 브랜드 저널리즘의 존재 의의에 충분히 부합한다고 볼 수 있다.

GE의 실적 부진에 대한 우려가 크다. 콘텐츠 제작 부서에도 변동이 있을까?

실제 파워 사업부를 빼고 실적 수치는 괜찮다. 언론 보도가 과장된 측면이 있다. 실적 대비 주가가 기대에 못 미치는 것도 있을 것 같다. 130년이 넘은 GE는 온갖 부침을 경험한 회사다. GE의 가장 큰 힘은 '사이클'을 경험한 것이다. 업계가 항상 잘나갈 수는 없다. 오르락내리락할 때도 성장하고 혁신해 왔다. 그런 사이클을 경험하지 않은 회사와는 내적 역량의 차이가 클 것이다. 경험이 풍부한 리더도 많다. 사업이 축소되는 분위기니까 단기적으로는 글로벌 마케팅 예산은 줄고 투자 예산도 줄어들 것이다. 하지만 예산만 가지고 되는 게 아니라고 생각한다. 어떤 채널과 콘텐츠를 최적화할지 고민해야 한다.

<u>GE는 조선일보, 내셔널지오그래픽, 쿼츠 등 국내외 여</u>
<u>러 언론사와 협업해 왔다. GE의 브랜드 저널리즘 전략</u>
<u>의 일환으로 볼 수 있을까?</u>

그렇다. 미디어 환경이 점점 복잡해진다. 고객에게 다가갈 채
널이 너무 많다. 뚫고 가기 어렵다. '원 소스 멀티 유즈one source
multi use' 전략으로 전방위로 진출해야 한다. 다만 채널의 특성
에 맞게 항상 변화를 준다. 쿼츠와는 수년째 파트너십을 이어
오고 있다. 미국 GE 본사와 쿼츠가 네이티브 애드를 한 달에
두 개 이상 제작한다. 'World in Motion'은 GE 사업의 규모를
보여 주는 좋은 사례다.

<u>눈여겨보는 국내외 브랜드 저널리즘 사례가 있다면. 일</u>
<u>반 매체도 포함해서.</u>

국내는 GS칼텍스와 포스코가 꾸준히 잘 만든다. 중심이 흔들
리지 않는다고 할까. 조직의 의지를 잘 반영한다는 느낌이 든
다. GE와 같은 B2B기업이면서 개별 산업에 대한 전문성을 바
탕으로 깊이 있는 콘텐츠를 만들어 내고 있다.
국외의 경우, 뉴욕타임스의 끊임없는 실험을 높이 평가한다.
뉴욕타임스는 새로운 플랫폼 개발에 투자하고 시장을 늘 선

도하지만, 여전히 중심은 글, 스토리다. '어떻게 전달할 것인 가'라는 핵심에서 출발하고, 그걸 벗어나지 않는다. 뉴욕타임 스는 정치, 경제, 사회, 문화 등 분야와 관계없이 높은 수준의 스토리텔링을 추구하면서도, 뛰어난 디지털 매체 편집 능력 을 통해 독자들의 집중을 이끌어 내는 전달력을 갖고 있다는 점에서 참고를 많이 한다.

스토리는 인류의 시작과 함께 출발했다. 지적 능력을 갖춘 인 간의 원형, 이걸 떠나면 가장 중요한 힘을 포기하는 것이다. 물론 어려운 작업이다. 재미있으면서 기업의 메시지도 넣어 야 하니까.

<u>재미와 기업의 메시지를 모두 담기가 정말 어려울 것 같다. 게다가 기업의 브랜드 이미지, 매출까지 고려해 야 할 텐데.</u>

신제품이나 기술이 나오면 다른 부서에서 리포트에 넣어 달라 는 요청을 종종 한다. 그러면 스토리를 실어서 가져오라고 얘 기한다. 현업에 종사하는 사내 담당자들에게 이런 인식을 꾸 준히 심고 있다. 안 그러면 채널의 정체성이 흔들린다.

GE가 추구하는 브랜드 저널리즘, 커뮤니케이션, 미디어 전략의 핵심은 뭔가?

사람, 기술, 사람과 기술의 관계. 그 세 가지를 묶는 스토리텔링이다.

카카오 루빅스

국내 최초 실시간 인공지능 뉴스 추천

카카오 루빅스RUBICS, Realtime User Behavior-based Interactive Content rec-ommender System는 이용자의 콘텐츠 소비 성향에 반응해 적절한 콘텐츠를 실시간 추천하는 인공지능 기술로, 2015년 카카오가 국내 최초로 개발했다.

루빅스 개발 전에는 에디터들이 다음뉴스 메인 화면에 기사를 직접 배치했다. 하지만 기사 양이 점점 늘면서 '기사 수만 개를 일일이 판단하고, 관심사가 다른 사용자가 같은 뉴스를 소비해도 될까'라는 의문을 갖게 됐다는 게 카카오의 설명이다. 다음뉴스에는 하루 3만여 건의 기사가 들어온다.

카카오는 모바일 시대에 맞는 뉴스 편집을 고민한 결과 '실시간 이용자 반응형 콘텐츠 추천 시스템'인 루빅스를 개발했다. 루빅스라는 이름에서 짐작할 수 있듯 나에게 맞는 뉴스 콘텐츠를 루빅스 큐브 돌리듯 보여 준다는 의미도 있다.

루빅스는 사용자가 관심을 가질 만한 콘텐츠를 자동으로 선별해 보여 준다. 사용자 개인의 콘텐츠 소비 성향과 사용자 집단의 특징을 종합해 판단한다. 루빅스는 사용자가 평소에 관심을 가지는 뉴스, 같은 성별과 비슷한 연령의 사람들이 많이 보는 뉴스, 상대적으로 오랜 시간을 들여 꼼꼼하게 읽는 뉴스, 관심을 가진 뉴스와 같은 주제의 뉴스 등 다양한 데이터를 활용해 콘텐츠를 추천한다.

이전에는 이런 데이터를 고려하지 않아 누구나 같은 뉴스 콘텐츠를 다음에서 접했지만, 루빅스 적용 후에는 이용자마다 첫 화면이 달라졌다. 가령 경제 기사를 즐겨 보는 30대 여성에게는 부동산 정책과 대출 금리 기사가, 스포츠 기사를 자주 보는 20대 남성에게는 영국 프리미어리그 경기 결과와 프로 농구 기사가 우선 추천된다.

루빅스의 뉴스 추천 과정은 크게 세 단계다. 다음뉴스의 콘텐츠는 클러스터링[29] 단계를 지나 문서 중복과 어뷰징(동일 기사 반복 전송)을 걸러 내고 루빅스풀에 들어간다. 이 과정을 거치고 나면 루빅스 시스템이 다음뉴스 첫 화면에 기사를 자동 배치한다. 인공지능 뉴스 추천 기술을 적용한 이후 다음뉴스 모바일 첫 화면의 클릭 수는 두 배 이상 늘었고, 하루 평균 방문자 수는 43퍼센트 증가했다.

다음뉴스가 모든 기사를 자동 배치하는 건 아니다. 대형 사고, 재난 재해, 기상 특보처럼 큰 뉴스는 전체 이용자에게 똑같이 배치된다.

루빅스를 개발한 루빅스TF팀은 PM, 뉴스 에디터, 응용 분석 엔지니어로 이뤄져 있다. PM은 서비스를 기획하고, 에디터는 속보와 사건 사고, 스포츠 생중계 등 뉴스를 모니터링하고 루빅스 기본 풀을 관리한다. 엔지니어는 루빅스 알고리즘을 설계하고 실시간 반응을 측정한다.[30]

루빅스는 사용자의 기사 소비 패턴을 실시간으로 학습해 기사 노출 여부와 위치를 정한다. 루빅스 적용 후 내가 원하는 콘텐츠를 접할 기회가 많아졌다는 게 이용자의 전반적인 반응이다. 루빅스가 적용되면서 다음뉴스 첫 화면에 소개되는 기사의 종류도 다양해졌다. 이전에는 정치, 사회, 경제 기사가 주를 이뤘다면, 루빅스 도입 후에는 IT와 문화 기사 소비가 부쩍 늘었다.

2015년 6월 다음뉴스 모바일을 시작으로 카카오톡 채널에도 루빅스가 적용됐다. 카카오 브런치를 포함한 전문가 수준의 블로거와 각종 커뮤니티의 글도 조회 수 상위 목록에 이름을 올린다. 카카오는 루빅스 알고리즘 도입 후 전체 페이지 뷰가 증가하고, 체류 시간과 소비 시간도 함께 올랐다고 밝혔다.

카카오 루빅스는 네이버의 '모두를 위한 AiRS 추천'과 종종 비교된다. 카카오에 이어 네이버는 2017년 3월 인공지능 기반 추천 알고리즘을 뉴스 영역에 도입했다. 2017년 7월에는 '경제M', '연예', '스포츠', '연재와 칼럼' 판 등으로 확대 적용했다.

네이버가 베타 서비스를 시작한 2017년 2월을 기준으로 삼아도 카카오에 비해서는 1년 8개월이나 늦은 출발이었다. 그럼에도 다음 모바일 뉴스에 대한 주목도는 높았다고 볼 수 없다. 네이버가 포털 뉴스 이용자 수 1위인 걸 감안하더라도[31] 카카오 루빅스는 시장에서 제대로 된 평가를 받지 못했다.

두 포털의 추천 서비스는 아직 불완전한 단계다. 네이버 공식 블로그에는 '에어스' 서비스에 대한 불만을 제기한 댓글이 500개 가까이 달렸다. 이 서비스는 관심이 없는 뉴스를 추천하는 경우가 종종 있다. 다음뉴스의 '나를 위한 추천' 코너에는 12시간이 지난 기사가 종종 걸려 있다. 이에 대해 카카오 측은 다음과 같이 설명했다.

"해당 영역은 최신 콘텐츠보다 관심사 중심으로 추천하기 위한 의도가 있다. 어떤 기사가 발행된 지 12시간이 지났다고 해서 추천해서 안 될 이유는 없다. 최신 기사 중심의 뉴스 구조를 조금이나마 탈피해 보기 위한 영역이다. 사실 관계가 중요한 이슈가 생겼을 때는 개인화 추천 대신 최신 중심으로 알고리즘을 바꿔 제공하기도 한다. 카카오는 네이버에 비해 약 3년 이상 추천 서비스를 먼저 시작했으며, 많이 읽는 글뿐 아니라 열독률이라는 지표를 개발해 꼼꼼히 읽은 기사까지 분석해 추천에 반영한다는 점에서 네이버와 크게 다르다."

인공지능 기반 뉴스 추천 기술이 편리한 서비스라는 데에는 이견이 없지만, 정보 편향이나 언론사의 가치 판단이 침해되는 등 여러 부작용이 드러나고 있다. 이런 상황에서 뉴스를 대리 제공하는 포털은 언론의 역할을 더욱 강하게 요구받고 있다. 하지만 국내 양대 포털 기업은 스스로를 IT 기업이라

선을 그으며 책임을 피하고 있다.

2018년 5월 카카오는 다음 앱에 '추천' 섹션을 추가했다. 여기에는 루빅스 대신 스마트 스피커 카카오 미니를 구동하는 '카카오i'가 적용됐다. '뉴스' 섹션을 두 번째로 밀어낸 것으로 볼 때 '네이버 뉴스 댓글 조작 사건' 이후 네이버가 "뉴스 편집을 더 이상 하지 않겠다"고 선언한 데에 따른, 포털 뉴스에 집중되는 관심을 분산하기 위한 조치로 보인다.

구글은 2018년 5월 연례 개발자 회의 '구글 I/O'에서 인공지능과 머신러닝 기술을 적용한 구글 뉴스를 공개했다. 구글의 뉴스 서비스는 카카오과 네이버의 뉴스 서비스에 비해 사용자 추천의 수준이 높다는 평가를 받는다. 구글 뉴스를 보면 국내 포털이 제공할 인공지능 추천 뉴스 서비스를 미리 내다볼 수 있다.

카카오 루빅스 TF팀 인터뷰 ; "슬롯머신 베팅 전략을 뉴스 서비스에 적용"

미국 마케팅 전문연구기관 마케팅프로프스MarketingProfs에 따르면 매일 생산되는 온라인 기사는 2017년 기준 200만 개가 넘는다. 저 많은 기사 중 내 입맛에 맞는 것만 고를 수 없을까. 뉴스 소비자라면 한번쯤 해봤을 고민이다. 내 취향을 고려해 지금 봐야 할 뉴스를 골라 주는 영리한 앱이 있다면 어떨까.

사람이 아닌 인공지능이 실시간 편집하는 뉴스 앱 말이다.

2015년 6월 카카오가 국내 최초의 인공지능 뉴스 추천 알고리즘 '루빅스'를 다음뉴스 모바일에 적용한 지 2년이 지난 2017년 7월, '열심히 읽은 기사'를 선별한 '꼼꼼히 본 뉴스'가 다음뉴스에 새로 적용됐다. 루빅스는 이용자의 뉴스 소비 패턴에 따라 뉴스의 노출과 배열을 효율적으로 결정하는 시스템이다.

앞서 2017년 3월에는 루빅스의 초기 알고리즘 개발 과정과 주요 내용을 담은 학술 논문이 발표됐다. 자사 주요 서비스의 알고리즘을 공개한 사례는 국내 인터넷 기업 중 카카오가 처음이다.

루빅스는 계속 진화한다. 축적된 데이터를 스스로 학습한다. 루빅스가 모바일 앱에 적용된 이후 뉴스 이용량이 늘고 제공되는 뉴스가 다양해졌다. 다음 첫 화면의 뉴스 개수는 평균 3.5배 늘었다. IT 과학 분야는 3.3배, 국제는 5.1배, 문화는 5.5배를 기록했다.

카카오는 2017년 5월 AI 추천 플랫폼 '토로스TOROS'를 공개하고 맞춤형 추천 시스템을 강화했다. 루빅스가 뉴스와 콘텐츠를 추천하는 시스템이라면, 토로스는 다음tv팟 영상을 시작으로 브런치와 카카오페이지에 주로 적용되는 시스템이다.

루빅스 시스템을 이끄는 성인재 루빅스 TF장, 문성원

루빅스 PM, 윤승재 커뮤니케이션팀 매니저를 카카오 판교 사옥에서 만났다.

AI 뉴스 추천 시스템을 기획하면서 주로 고려한 점이 있다면.

과거 다음뉴스는 모든 사용자에게 같은 기사 20개를 제공했다. 화면의 제약 때문에 '버려지는' 기사가 아까웠다. 루빅스 기획 초기 단계부터 모두가 같은 기사를 보는 걸 벗어나려 했다. 2014년 5월 다음과 카카오가 합병되고 루빅스 개발을 진지하게 논의했다.

성인재 루빅스 TF장(오른쪽)과 문성원 루빅스 PM

루빅스 TF팀은 어떻게 구성되나?

루빅스 PM, 뉴스 에디터, 응용분석 엔지니어다. PM은 서비스 기획을 맡는다. 기술을 제외한 모든 부분을 챙긴다. 엔지니어는 루빅스의 뉴스 추천 알고리즘을 개발한다. 이용자 행동 데이터를 분석하고 새로운 뉴스 추천 방식을 적용한 알고리즘을 만든다.

2017년 '꼼꼼히 본 뉴스' 섹션을 개설했다.

루빅스를 개발하면서 뉴스 클릭 수 등 '양적 성장'을 예상했다. 다만 시작 단계부터 질적 성장에 대한 고민이 있었다. 기존의 알고리즘에서는 이용자가 어떤 콘텐츠를 봤는지만 알 수 있었다. 하지만 얼마나 '열심히' 봤는지는 알 수 없었다. 이걸 어떻게 해결할까 고민했고 2017년 7월 '꼼꼼히 본 뉴스' 섹션을 개설하면서 문제를 일부 해결했다. 측정 기준은 체류 시간이지만, 단순히 해당 페이지에 머문 시간이 아닌 본문을 읽은 시간이다.

꼼꼼히 본 뉴스의 기준이 되는 '열독률 지수Deep Reading Index·DRI'를 설명해 달라.

본문 내 이미지의 개수와 글의 길이를 보면 평균 체류 시간이 나온다. 그런데 가령 그림이 두 개, 본문이 300자인 기사의 평균 체류 시간이 30초인데, 같은 조건의 특정 기사는 60초가 나왔다. 그렇다면 두 번째 기사의 본문 집중도가 높다고 판단한다. 그걸 지수화한 게 카카오가 자체 개발한 '열독률 지수'다. 글의 길이뿐 아니라 본문 내 이미지의 개수, 영상의 길이도 고려한다. 이 지수를 도입하고 본문 집중도가 높은 기사를 발굴하고 낚시성 기사를 걸러내는 효과를 얻었다.

DRI는 기대 체류 시간 대비 해당 콘텐츠 체류 시간의 상대적인 크기로 정의된다. '상대적인 체류 시간'을 통해 사용자의 본문 선호도를 측정한다. '기사를 봤다'는 개념을 클릭 후 얼마나 '열심히 읽었나'까지 확장한 것이다. DRI 도입 이후 기사당 평균 체류 시간이 8.07퍼센트, 1인당 평균 체류 시간이 18.85퍼센트 늘었다. 기존 CTR(Click-Through Rate, 콘텐츠 클릭률) 기반 추천보다 사용자들이 더 오래 머무르며 기사를 읽었다는 것을 확인할 수 있다.

2018년 2월에는 '더 보기' 기능을 더했다. 뉴스 더 보기는 모바일 첫 화면에만 적용했다. 특정 기사를 보고 다시 메인 화면으로 돌아오면 더 볼만한 기사를 두 개 추천하는 기능이다.

열독률 지수가 높은 기사의 공통된 특징이 있나?

연재, 단독, 기획 기사, 주요 이슈에 대한 심층 인터뷰, 주간지 콘텐츠가 꼼꼼히 본 뉴스 상위 목록에 오르는 경우가 많다. 분야는 국제, 정치, IT가 많은 편이다.

루빅스를 다음뉴스에 적용한 지 3년이 되어 간다. 성과를 자체 평가한다면.

2015년 6월 다음뉴스 모바일 서비스를 시작으로 연예, 스포츠, 콘텐츠가 포함된 미디어랩, 홈, 쿠킹, 스타일, 자동차+, 여행 맛집, 쇼핑, 1boon 등 섹션과 카카오톡 채널, 다음 TV탭에도 루빅스가 적용됐다. 2017년 4월 다음뉴스를 개편하면서 PC 영역에도 루빅스가 100퍼센트 적용됐다. 모바일은 루빅스 초기 단계부터 전면 도입했다.

가장 큰 성과는 루빅스 시스템이 자연스레 정착한 것이다. 이용자 반응을 다채롭게 알 수 있게 됐고 사용자가 뭘 원하는지 알게 됐다. 이용자들의 긍정적인 피드백이 있었기에 다양한 시도를 하며 계속 변화할 수 있었다.

루빅스 도입으로 뉴스 소비자의 수요를 세분화하게 됐다는 의미인가?

스포츠를 예로 들면 대부분의 이용자가 모든 종목에 골고루 관심을 두기보다는 야구, 해외 축구 등 특정 종목을 보는 경우가 많다. 루빅스를 적용하기 전에는 여러 종목을 추천했던 반면, 이제는 사용자의 취향을 고려한 종목별 큐레이션이 가능하다. 뉴스 소비 패턴을 분석한 결과, 읽은 뉴스를 다시 클릭하는 이용자는 극히 적다. 이미 접한 기사를 추천 화면에서 제외하고 새로운 뉴스로 대체함으로써 다양한 뉴스를 제공할 수 있었다. 루빅스에는 특정 이용자에게 여러 번 추천된 뉴스는 사용자의 클릭 여부와 상관없이 페널티를 부여하는 알고리즘이 내재돼 있다. 뉴스 서비스를 자주 사용하는 이용자에게만 적용된다.

내가 어떤 뉴스를 좋아하는지 루빅스가 어떻게 알 수 있나?

루빅스의 추천 방식에는 그룹 맞춤과 개인 맞춤이 있다. 그룹 맞춤은 같은 성별, 연령대의 이용자 집단에서 소비된 뉴스의 클릭률을 측정하고 콘텐츠 소비 성향을 분석해 반영한다. 20대 여성은 뷰티와 취업, 30대 여성은 육아, 40대 여성은 교육, 50대 여성은 건강 뉴스를 많이 소비한다. 개인 맞춤 서비스에

는 루빅스를 포함한 다양한 알고리즘이 적용된다. 협업 필터
링이 대표적이다. 루빅스에는 카카오에서 자체 개발한 맞춤
형 멀티암드밴딧Multi-Armed Bandit·MAB이라는 알고리즘이 적용
됐다. 멀티암드밴딧은 카지노 슬롯머신에 비유된다. 도박장
에서 승률을 높이는 방법의 하나는 돈을 딸 가능성이 높은 기
계에서 베팅하는 것이다. 즉, 관건은 승률이 높은 슬롯머신을
'얼마나 빨리' 찾아내는가이다. 승률을 확인하는 횟수를 줄이
고, 돈을 따는 데 집중하는 것이 수익을 극대화하는 방법이다.
뉴스에 이 구조를 적용하면, MAB로 이용자들이 선택할 가능
성이 높은 뉴스가 무엇인지를 파악할 수 있다.

각각의 슬롯머신은 개별 뉴스를 의미하나?

그렇다. 슬롯머신의 승률은 뉴스가 클릭될 확률CTR에 해당한
다. 실시간으로 변하는 뉴스의 클릭률을 정확하게 측정하기
위해, 루빅스는 분 단위로 각 뉴스의 클릭률을 측정한다. 본
래 MAB는 뉴스라는 특성을 온전히 소화하기에는 한계가 있
어서 뉴스 서비스에 맞게 개량했다.[32]

알고리즘끼리 경쟁하는 구조인가?

사용자 반응을 보고 새로운 알고리즘을 개발해 적용한다. 그렇게 보면 알고리즘 간의 경쟁인 셈이다. 열독률 지수에도 그런 테스트를 계속한다.

> 인공지능 뉴스 추천이 다양한 뉴스를 접할 기회를 제한한다는 우려가 있다. 맞춤형 서비스로 인해 결국 제한된 정보만 제공받게 되는 '필터 버블'이 대표적인 예다.

개인의 관심사와 대중의 관심사를 모두 고려한다. 어떤 사람이 여행 기사를 많이 본다고 여행 기사만 추천하는 건 아니다. 스포츠 분야에는 그 방식이 적용된다. 야구 스코어를 많이 보면 해당 기사를 더 많이 추천한다. 스포츠 외 분야에서는 적절한 추천이 아니라고 판단해 적용하지 않는다.

> 인공지능 뉴스 추천 시스템을 적용한 후 편집자의 역할은 어떻게 바뀌었나?

메인 화면에 노출되는 20개의 기사를 교체하던 역할에서 뉴스를 큰 틀에서 관장하는 쪽으로 바뀌었다. 업무가 오히려 늘었다. 루빅스에서 작동하는 모든 콘텐츠를 모니터링해야 한다. 특집 페이지 기획과 알고리즘 향상에 공을 들인다.

인공지능이 편집하는 중국의 뉴스 앱 '진르터우탸오今
日頭條'는 이용자 수가 10억 명을 넘어섰다. 다음뉴스
도 장기적으로 보면, AI가 편집자의 역할을 100퍼센트
대체하지 않을까?

다음뉴스는 이미 2015년 6월부터 첫 화면의 뉴스 대부분을 인공지능이 배치하고 있다. 뉴스 편집의 주체가 사람인가, 인공지능인가는 중요하지 않다. 가령 넷플릭스는 자동화된 영상 추천을 하지만 모든 영상의 태그는 사람이 직접 등록한다. 자동으로 할 수 있지만, 사람이 등록하는 게 결과가 더 좋기 때문이다. 어떤 방식이 이용자에게 더 나은 뉴스 서비스를 제공하는지가 중요하다. 다음뉴스가 현재 방식으로 발전한 큰 이유 중하나는 모두가 같은 기사를 보는 비효율을 개선하기 위해서다.

루빅스의 발전 방향을 어떻게 기대하나?

카카오는 사용자 특성에 최적화된 콘텐츠를 제공하고자 한다. 기사 실시간 업데이트와 (방문이 상대적으로 적은 이용자를

위한) 주요 콘텐츠 추천, 둘 다 중요하다. 상황별 이슈를 알려주는 맞춤 추천과 개인의 관심사를 상세히 반영한 특성이 조화를 이룬 추천을 제공하고자 한다.

루빅스가 적용된 카카오톡 채널은 지난 수개월간 알고리즘이 여러 번 바뀌었다. 편집 기준을 몰라 혼란스럽다는 매체들도 있었다. 카카오톡 채널에는 흥미 위주의 글이 넘쳐난다는 비판도 있다.

채널 탭에서의 콘텐츠 추천은 이용자 행동 패턴과 의견을 종합적으로 고려해 지속적으로 알고리즘을 고도화해 나가고 있다. 예를 들어 선정적이고 자극적인 콘텐츠를 지양하는 식이다. 조금 더 지켜봐 달라.

주

1 _ 블록체인은 기존의 한 조직이 막대한 비용을 들여 중앙 통제식으로 관리하던 거래 이력 데이터베이스를 분산형 네트워크의 참가자들이 공동으로 보유하고, 전원 합의를 통해 거래 데이터의 정당성을 보증하는 분산형 장부이자 위변조 방지 기술이다. 돈이나 상품의 거래 이력 정보를 전자 형태로 기록하면서 그 데이터를 블록으로 집약해서 체인처럼 차례차례 연결한다는 의미다. 복수의 네트워크 참가자는 서로의 컴퓨터에 P2P(Peer to Peer, 중앙 서버 없이 개개인의 단말기가 직접 연결되는 네트워크)로 직접 접속해 돈이나 상품 등의 거래 정보를 주고받고 확인하는 방식으로 이력 정보를 공유한다. 블록체인 참가자는 노드(node)로 불린다. 일부 노드가 다운되어도 다른 노드와 정보를 공유하기 때문에 큰 문제가 발생하지 않는다. 블록체인은 데이터 조작이 거의 불가능하고, 중개자를 생략해 비용이 적게 든다. 오키나 유리 외(이현욱 譯), 《블록체인의 미래》, 한스미디어, 2018.

블록체인은 공통적으로 (1)암호 화폐, (2)컴퓨팅 인프라, (3)거래 플랫폼, (4)탈중앙형 데이터베이스, (5)분산 회계 원장, (6)개발 플랫폼, (7)오픈 소스 소프트웨어, (8)금융 서비스 시장, (9)P2P 네트워크, (10)신뢰 서비스 계층이라는 열 가지 속성을 갖고 있다. 윌리엄 무가야(박지훈, 류희원 譯), 《비즈니스 블록체인》, 한빛미디어, 2017.

2 _ 스팀잇의 자세한 운영 방식과 사업 구상은 2017년 8월 공개된 백서 〈스팀 - 보상을 주는, 블록체인 기반의, 공공 콘텐츠 플랫폼(Steem - An incentivized, blockchain-based, public content platform)〉에 잘 나와 있다.

3 _ 고래는 본래 비트코인 대량 보유자를 지칭하는 용어로, 스팀잇 생태계에서는 암호 화폐인 스팀파워를 대규모 갖고 있어 시장에 막대한 영향력을 끼치는 이용자를 뜻한다.

4 _ 사업자가 신규 암호 화폐를 발행해 투자자들로부터 사업 자금을 모집하는 방식이다. 국내에서는 금융 당국이 투기에 가깝다고 판단해 2017년 9월부터 전면 금지했다.

5 _ Pablo Moreno de la Cova, 〈Tokens and Tokenomics: the Magic of ICOs〉, 2017. 10. 26.

6 _ mechuriya, 〈토큰 이코노미 선언문 Declaration of Token Economy〉, 2018. 2.

7 _ 오세현·김종승, 《블록체인노믹스》, 한국경제신문, 2017.

8 _ 수학 문제를 풀어 유효한 거래를 검증하는 방식이다. 보상으로 신규 발행된 암호 화폐를 받기 때문에 채굴로 불린다.

9 _ Lauren Johnson, 〈'There's no place that satisfies the entire user experience:' Why a relatively unknown Japanese company is betting $110 million on Quartz to disrupt Facebook and Twitter's news dominance〉, 《Business Insider》, 2018. 7. 3.

10 _ Digital Innovators' Summit, 〈Quartz's Jay Lauf at DIS 2017 - focus on human beings, not just technology〉, 2017. 3. 20.

11 _ Paul Mozur, 〈Quartz, Atlantic Media's Business News Start-Up, Is Sold to Japanese Firm〉, 《The New York Times》, 2018. 7. 2.

12 _ 애그리게이터는 여러 매체의 콘텐츠, 회사의 상품이나 서비스에 대한 정보를 모아 제공하는 소프트웨어 또는 웹사이트를 말한다.

13 _ Kevin J. Delaney & Jay Lauf, 〈Quartz begins a new chapter, A letter from our editor in chief and publisher〉, 《Quartz》, 2018. 7. 2.

14 _ 퀴츠는 미 대선을 전후로 아틀라스에 여러 관련 차트를 게시했다. 아틀라스(https://www.theatlas.com)에서 'Trump'를 검색하면 유럽인과 아시아인들의 후보 지지 성향, 미 대선 당일의 비트코인 가격 동향 등을 정리한 그래프를 확인할 수 있다.

15 _ Kevin J. Delaney & Heather Landy, 〈Welcome to Quartz at Work, a new edition from Quartz〉, 《Quartz》, 2017. 10. 11.

16 _ '성장에서 답을 찾다' 마스터 클래스: 그로스 팀 세미나(3. PUBLY 김민우 매니저), 패스트캠퍼스 미디어, 2018. 3.

17 _ Lukas I. Alpert, 〈Politico CEO Jim VandeHei To Leave Company〉, 《The Wall Street Journal》, 2016. 1. 26.

18 _ International News Media Association, 〈Focusing on short-form content, Axios gets 80 million monthly pageviews〉, 2018. 6. 3.

19 _ 〈The World's Most Innovative Companies 2018〉, 《Fast Company》, 2018. 3.

20 _ 2018년 5월 25일 도널드 트럼프 미국 대통령의 6월 싱가포르 북미정상회담 취소 발표를 보도한 악시오스의 논평은 분량은 245단어에 불과하지만, 내용은 여느 분석 기사 못지않다. 〈How the North Korea summit got derailed〉, 《AXIOS》, 2017. 5. 25.

21 _ 바라트 아난드(김인수 譯), 《콘텐츠의 미래》, 리더스북, 2017.

22 _ 〈Nikkei and Monocle sign global partnership〉, monocle.com, 2014. 9. 1.

23 _ Jens Schröder, 〈IVW-News-Top-50: Bild, upday, Welt und stern wachsen trotz Feiertagen gegen den Trend〉, 《Meedia》, 2018. 1. 9.

24 _ RSS(Rich Site Summary)는 뉴스나 블로그 등 웹사이트의 업데이트된 정보를 해당 사이트를 방문하지 않고 한데 모아 쉽게 확인할 수 있는 서비스로, 포털 뉴스 시스템에도 사용된다.

25 _ 필터 버블(filter bubble)이란 소셜네트워크 등을 이용하는 사람이 자신의 입맛에 맞는 온라인 콘텐츠만 걸러서 소비하는 탓에 진실 여부와 상관없는 편향된 정보의 '거품' 안에 갇히는 현상을 뜻한다.

26 _ 문장호, 〈한국형 브랜드 저널리즘의 안착을 위한 제언〉, 《제일기획 매거진》 500호, 2017. 9. 15.

27 _ 사고 리더십(thought leadership)은 경영학 분야에서 자주 쓰이는 용어로, 고객이 자신의 요구 사항을 말하기 전에 혹은 요구 사항을 알고는 있지만 이를 겉으로 표현하지 못할 때, 기업(또는 개인)이 먼저 고객이 원하는 것을 제시하는 것을 의미한다. Lukumanu Iddrisu, 〈Thought Leadership: Becoming An Influence in Your Niche〉, 2017.

28 _ 검색 엔진 최적화는 검색 엔진으로부터 어떤 웹사이트에 도달하는 트래픽의 양과 질을 개선하는 작업을 말한다. 일반적으로 어떤 사이트가 검색 결과에 빨리 나타날수록, 사용자들이 그 사이트를 클릭할 가능성이 커진다. 검색 엔진 최적화는 이미지 검색, 지역 검색, 구체적 업종에 대한 검색 등 여러 종류의 검색을 목표로 삼는다.

29 _ 클러스터링은 같은 키워드별로 기사를 묶어 보여 주는 기술로 지금 중요한 주제와 정보량을 한눈에 알 수 있게 해준다.

30 _ 카카오 정책산업 연구 브런치, 〈카카오 뉴스 추천 AI 알고리즘 '루빅스'의 비밀〉, 2017. 5. 4.
kakao 블로그, 〈내 입맛에 딱 맞는 뉴스를 보여 주는 루빅스(RUBICS)!〉, 2015. 6. 23.

31 _ 네이버의 하루 방문자 3000만 명 가운데 뉴스 분야 이용자는 1300만 명에 달한다. 다음은 뉴스 분야의 이용자 수를 공개하지 않고 있다. 성호철·강동철·임경업, 〈'뉴스 가 두리' 네이버, 댓글 부추기고 랭킹뉴스로 장사〉, 《조선비즈》, 2018. 4. 24.

32 _ 카카오 정책산업 연구 브런치, 〈카카오 뉴스 추천 AI 알고리즘 '루빅스'의 비밀〉, 2017. 5. 4.

북저널리즘 인사이드   무경계 시대의
                      미디어

뉴미디어 하면 흔히 영상 플랫폼을 떠올린다. 넷플릭스와 유튜브, 아마존 같은 동영상 스트리밍 플랫폼과 디즈니, 타임워너 등 방송·통신 기업들은 미디어 업계의 변화를 거론할 때 가장 먼저 언급되는 사례다. 디지털 기술로 산업 구조가 재편된 영상, 음원 시장은 다운로드에서 스트리밍으로, 검색에서 추천으로 진화했다.

미디어 혁신은 이제 텍스트 시장으로 이동하고 있다. 영상, 음원에 비해 더뎌 보였던 텍스트 시장의 변화는 최근 속도를 내기 시작했다. 2012년 뉴욕타임스의 '스노우폴'이 내러티브 저널리즘의 새 지평을 연 데 이어, 카드 뉴스나 리스티클(목록 형태의 기사) 같은 새로운 포맷도 등장했다. 텍스트 미디어의 변혁기라고 해도 좋을 만큼 다양한 실험이 이어지고 있다.

미디어 혁신의 최신 트렌드를 살피기 위해서는 텍스트 시장에 주목해야 하는 이유다. 저자가 만난 9곳의 텍스트 미디어는 모두 경계를 무너뜨리는 시도를 하고 있다. 형식의 다양성은 거의 무한대로 확장하고 있고, 콘텐츠 공급자와 소비자의 경계, 콘텐츠를 담는 틀의 경계는 더 이상 무의미하다.

쿼츠와 악시오스는 모바일 읽기 환경에 최적화된 콘텐츠를 제공한다. 기존의 신문 기사 형태를 버리고 한눈에 핵심을 볼 수 있는 짧은 기사에 분석을 더했다. 블록체인으로 자유로운 콘텐츠 유통 생태계를 만드는 스팀잇, 현업에서 뛰고 있는 저자와 독자의 공감대에 초점을 맞추는 퍼블리, 전문가의 기자화를 통해 깊이와 시의성을 담는 북저널리즘은 기자나 작가로 대표되는 기성 콘텐츠 공급자의 범위를 확장시켰다. GE리포트는 기성 매체의 소비자 혹은 광고주였던 기업이 직접 고급 콘텐츠를 제작하는 사례다.

미디어의 사업 영역 역시 확대되고 있다. 독일의 미디어 그룹 악셀슈프링어가 삼성전자와 협업해 만든 서비스 업데이는 유럽의 모든 뉴스를 큐레이션해 삼성전자의 갤럭시 사용자들에게 공급하는 독특한 전략을 취하고 있다. 카카오의 루빅스는 사용자의 취향을 세밀하게 분석하는 인공지능 기술로 방문자 수를 43퍼센트나 늘렸다. 모노클은 잡지라는 올드 미디어를 주축으로 상품 판매, 부동산 사업 등 라이프 스타일을 아우르는 미디어 브랜드로 자리 잡았다.

지금은 '한쪽에서 다른 쪽으로 전달한다'는 미디어의 정의가 가장 명확하게 구현되고 있는 시대인지도 모른다. 본래 미디어는 누가, 어떻게 전달하느냐가 아니라 전달 그 자체를 의미한다. 소비자가 원하는 콘텐츠를 더 효율적인 방식으로 접할 수 있다면 무엇이든 미디어가 될 수 있는 시대, 진정한 독자·소비자 중심의 시대, 무경계 미디어 시대의 막이 올랐다.

김하나 에디터